D1056133

ET Scrittoti
932

Rosetta Loy
La parola ebreo

Einaudi

© 1997 e 2002 Giulio Einaudi editore s.p.a., Torino

Prima edizione «Gli struzzi» 1997

www.einaudi.it

ISBN 978-88-06-17403-3

La parola ebreo

Se vado indietro nel tempo e penso a come la parola «ebreo» è entrata nella mia vita, mi vedo seduta su una seggiolina azzurra nella camera dei bambini. Una camera con una carta da parati a fiori di pesco scarabocchiata in piú punti; è primavera inoltrata e la lunga finestra che dà sul balcone di pietra è spalancata. Posso guardare nell'appartamento al di là della strada dove dai vetri aperti le tende dondolano all'aria. In quella casa c'è una festa, si vedono le persone andare e venire. In quella casa da poco è nato un bambino, quella festa è per lui. «Un battesimo?» chiedo. No, mi dice la donna che è seduta accanto a me su un'altra seggiolina dove il suo corpo rimane avvolto come una palla, certo che no, ripete: lei è Annemarie, la mia Fräulein. Sono ebrei aggiunge accennando con il mento al di là della finestra, loro i bambini non li battezzano, li circoncidono. Ha detto «beschneiden» con una smorfia di disgusto. La parola è incomprensibile ma contiene quello «schneiden» che conosco bene. Cosa? mormoro incredula. Gli tagliano via un pezzettino di carne, risponde sbrigativa. «Mit der Schere…?» mormoro. Vedo il sangue, un mare di sangue che bagna il porte-enfant. La spiegazione è vaga ma agghiacciante, Annemarie accenna a qualcosa sul corpo che non

capisco mentre il suo sguardo scruta severo attraverso i vetri «Vielleicht mit der Schere, ja, das weiß ich
nicht...» Al di là di quelle finestre vedo passare bambine con i fiocchi in testa simili al mio, signore con
le perle al collo e i corpi fasciati da morbidi vestiti di
maglia come quelli della mamma. «Sind Juden» lei
ripete; e lo sguardo dei suoi begli occhi color cielo si
fissa severo su una cameriera che va in giro con un
vassoio. Forse nascosto tra le tazze del tè c'è il pez-
zetto tagliato via a quel neonato. Un ditino, un lembo di pelle.

Anche la signora Della Seta è ebrea. Abita accanto a noi: è vecchia, così almeno sembra a me. Quando sono malata viene a trovarmi, io ho la febbre e il
mio corpo scompare nel grande letto matrimoniale in
camera della mamma. La signora Della Seta ha i capelli grigi raccolti in una retina. Mi porta un regalo.
È un cestino rivestito di raso azzurro dove un bam-
bolotto di celluloide è tenuto fermo da elastici cuci-
ti alla fodera, un altro elastico tiene fermo un minuscolo biberon con la punta rossa. Mi sembra un regalo bellissimo: appuntati ci sono anche delle
mutandine e un golfino. Adoro la signora Della Seta, anche se è ebrea.

Al piano di sopra abitano i Levi. Loro sono più ru-
morosi, si sente spesso suonare il pianoforte e la madre ha degli occhi scuri molto brillanti, non sono gen-
tili come la signora Della Seta e ci incontriamo solo
sulle scale o in ascensore. Non mi portano regali. Anche loro, dice Annemarie, sono ebrei. Qualche volta
Giorgio Levi suona alla porta e chiama mio fratello
per andare a giocare a pallone a Villa Borghese. Giorgio ha un anno di più, è alto e ha i capelli scuri e on-

dulati, lo sguardo allegro di chi è impaziente di pre-
cipitarsi giú dalle scale per raggiungere i compagni di
gioco. Mio fratello al ritorno, mentre si lava i piedi
nel bidet, si lamenta che Giorgio è prepotente e se
lui non è svelto a passargli la palla gli dà una gomita-
ta nel fianco. All'asilo madre Gregoria ci mostra le
illustrazioni a colori della Bibbia. Ha guance roton-
de e rosse. È piccola e anche lei siede su una seggiolina con il lungo vestito di lana bianca che allarga le
pieghe in terra, sul petto porta ricamato un cuore rosso trafitto in ricordo della Passione di Cristo. Sulla
pagina che ruota davanti ai nostri occhi, retta dalle
sue mani paffutelle, Abramo alza la spada per ucci-
dere Isacco. Isacco è figlio di Abramo; ma per fortuna arriva l'angelo e lo ferma. Abramo, Isacco sono
ebrei. Anche i sette fratelli Maccabei sono ebrei, loro muoiono tra le fiamme per non rinnegare Dio. Dio
allora era senza cuore, poi per fortuna è sceso sulla
terra Cristo che invece è buono e bellissimo. Ha lunghi capelli castani e gli occhi azzurri, ogni mattina
quando arrivo all'asilo è là che mi aspetta e la sua ro-
sea mano di gesso mostra il cuore messo a nudo sul
petto da cui colano alcune gocce di sangue. Il cuore
è il luogo dell'amore: Cristo ci ama. Noi siamo cri-
stiane, io sono stata battezzata a San Pietro e la mia
madrina è la signora Basile. È vecchia come la signora
Della Seta ma è molto piú magra, il suo lungo collo e
la testa piccola la fanno assomigliare a uno struzzo;
mio fratello, una volta che era venuta in visita, ha
aperto la porta del salotto e ha detto: la signora Basile ha i baffi. Poi è scappato via. È vero, i peli sul
suo labbro lunghi e grigi, un poco ispidi, mi pizzica-
no la guancia ogni volta che si china a baciarmi. Ha
occhi rotondi molto dolci, non si è arrabbiata nean-

che quel pomeriggio che mio fratello, per fare il gradasso, l'ha offesa. Per il battesimo mi ha regalato una catenina d'oro con la medaglietta della Madonna di Pompei che succhio quando sono a letto nel buio. La signora Basile ogni anno per Natale organizza una lotteria di beneficenza per i poveri della parrocchia. Pilato era romano e i farisei e gli scribi ebrei. Anche Erode era ebreo e anche Caifa. Anche Barabba. Erano tutti ebrei, meno i centurioni.

Quando non vado all'asilo Annemarie mi porta a Valle Giulia in uno spiazzo isolato di fianco alla Galleria d'Arte Moderna. Sono sempre infagottata con la sciarpa e il basco di lana perché non sono robusta come mia sorella Teresa. A Valle Giulia non c'è quasi mai nessuno, ma intanto io non devo giocare con gli altri bambini altrimenti posso prendermi anche le loro malattie. Poco lontano dalle panchine c'è a volte un'altra bambina destinata come me alla solitudine che rimesta nella ghiaia con una paletta colorata, accovacciata sulle gambe. Vedo le sue mutandine bianche, delle mutandine Petit bateau uguali a quelle che Annemarie mi infila ogni mattina. Anche io mi piego sulle gambe e la guardo. È bionda e i capelli le scendono giú ondulati intorno al viso dalla pelle chiarissima. Mi piacerebbe avere la sua paletta. Al collo porta una stella d'oro. Annemarie mi chiama, parla con la governante di quella bambina: è una bambina ricchissima, dicono. Forse posso giocare con lei. Torno a guardarla mentre sposta la ghiaia, sono affascinata da quella stella che dondola al sole sprizzando scintille. Le chiedo se posso toccarla. No, mi risponde, non puoi. Non vuole che mi avvicini troppo. Mentre torniamo a casa parlo a Annemarie di quella stella. È la stella di Davide, mi risponde. Madre Gregoria ci ha mostrato la figura di Davide che lancia un sasso contro Golia. Quella bambina, mi spiega, invece della medaglietta con la Madonna o Gesú Bambino, al collo porta una stella a sei punte. Non l'ha detto, ma io non so perché, ho capito che quella bambina è ebrea. Subito penso alle forbici e al sangue. Hanno tagliato anche lei? chiedo. Cosa dici, tagliato cosa? Ha parlato in tedesco. Anche io devo parlare in tedesco altrimenti non mi risponderà piú. Quella stella adesso mi sembra piena di mistero. Invidio quella bambina che la porta invece della mia insipida medaglietta.

Questa sono io nell'inverno del 1936. In un libro che racconta le peripezie di un bambino cattolico assediato da miscredenti che vogliono fargli rinnegare Gesú, ci sono i massoni molto cattivi. Il bambino viene portato su una nave, e là c'è un ebreo, cattivissimo anche lui. Tutti vogliono togliere a quel bambino la sua Fede ma il bambino resiste e prega la Madonna. A un certo punto viene quasi accecato. Quel libro non mi piace, è stupido e crudele. A me piace il libro dell'Omino del Sonno che sparge la polverina d'argento sulle palpebre dei bambini e poi li porta nel Paese dei Sogni. Mi piace anche il libro dove si vede la Befana che fatica la notte in mezzo alla neve e scivola giú nelle case attraverso il camino. Io ho una fede cieca nella Befana anche se a Roma non c'è la neve e noi non abbiamo neanche un camino.

Ma prima di tornare alla bambina sulla seggiolina azzurra intenta a guardare fuori dalla finestra, vor-

rei per un momento volgermi indietro e ricomincia-
re da quando quella bambina è nata nell'anno IX
dell'Era Fascista, in via Flaminia 21, nella camera cosí detta «rossa» per via della tappezzeria color vino.
E alcuni giorni dopo, mentre qualche goccia di pioggia macchia i vetri dell'automobile, viene portata nella basilica di San Pietro per essere battezzata. La accompagnano il fratellino e le due sorelline in braccio
a balie e governanti (il piú grande ha quattro anni e
la piú piccola appena quindici mesi) e al fonte batte-
simale le viene imposto, insieme agli altri nomi, anche quello di Pia in onore del Papa sotto cui è nata:
Pio XI.

In quello stesso anno, a novembre, una circolare
del Ministero della Pubblica Istruzione impone ai docenti universitari il giuramento di fedeltà al fascismo.
Su 1200 docenti, 1188 giurano e si impegnano a insegnare secondo i principî della dottrina fascista; solo 12 rinunciano alla cattedra.

È del 1931 anche il nuovo romanzo di uno stima-
to e famoso scrittore, Giovanni Papini, un letterato
fiorentino di grande ingegno e di forti capacità intellettuali che nei primi anni del secolo è stato con-
siderato un «eretico». Ma nel 1921, in seguito a una
pubblica conversione al cattolicesimo, ha scritto *Storia di Cristo*, una biografia romanzata che riprende la
leggenda dell'Ebreo Errante per svelarne «una verità
piú paurosa che non sia quella storica». L'immortali-
tà di Buttadeo condannato a vagare senza fine, è infatti per Papini quella degli ebrei su cui ricade in eter-
no il sangue di Cristo: puniti con la Diaspora, isolati dagli altri uomini, i discendenti di coloro che
uccisero il figlio di Dio si ostinano ancora a non convertirsi. Papini racconta anche come questi perenni

errabondi abbiano in seguito «ritrovato una nuova patria nell'oro» mentre altri, provenienti dai «ghetti della Slavia», «lerci e untuosi», rappresentino ancora oggi «la figura vivente del vero Buttadeo». Un romanzo
a tesi che alla sua uscita aveva sollevato molte pole-
miche, ma aveva anche venduto in un anno 70 000 copie ed era stato tradotto in francese, inglese, tedesco,
polacco, spagnolo, rumeno, olandese, finlandese, ecc...

Il nuovo libro intitolato *Gog*, dal nome abbrevia-
to del protagonista, si presenta come una serie di in-
terviste immaginarie effettuate da un ricco e eccen-
trico uomo d'affari americano per scoprire quali sono «le malattie segrete di cui soffre la presente
civiltà». Attraverso il protagonista Papini finge di in-
tervistare Gandhi, Freud, Edison, Shaw e via via tutta una serie di personaggi di questo secolo. Si arriva
cosí anche all'incontro con il prototipo dell'ebreo,
impersonato da Benrubi, il segretario di Gog: «un
giovane basso, colle spalle un po' curve, le gote sca-
vate, gli occhi rientranti, i capelli già un po' imbian-
cati, la carnagione color mota verdiccia di palude...
e l'espressione di un cane che teme di essere picchiato
ma sa pure di essere necessario». Stimolato dalle domande del suo padrone sulla pusillanimità ebraica,
Benrubi si abbandona a un'estesa spiegazione sul perché «Non potendo adoprare il ferro gli ebrei si pro-
tessero, alla peggio, con l'oro... L'Ebreo, divenuto
capitalista per legittima difesa, s'è trovato a essere,
per colpa della decadenza morale e mistica dell'Europa, uno dei padroni della terra... dominatore dei
ricchi e dei poveri... In che modo l'Ebreo calpestato
e sputacchiato poteva vendicarsi dei suoi nemici?
Coll'abbassare, avvilire, smascherare, dissolvere gli
ideali dei Goïm. Col distruggere i valori sui quali di-

ce di vivere la Cristianità. E difatti, se ben guarda-
te, l'intelligenza ebraica, da un secolo a questa parte, non ha fatto altro che scalzare e insudiciare le vostre piú care credenze... da quando gli ebrei hanno
potuto scrivere liberamente, tutte le vostre impalca-
ture spirituali minacciano di cadere». Benrubi elen-
ca poi una serie di personaggi quali Marx, Heine o
Lombroso, distruttori dei valori della cristianità, per
terminare: «Nati [gli ebrei] in mezzo a popoli diversi, consacrati a ricerche diverse, tutti quanti, tedeschi e francesi, italiani e polacchi, poeti e matemati-
ci, antropologi e filosofi hanno un carattere comune,
un fine comune: quello di mettere in dubbio le verità
riconosciute, di abbassare ciò che è alto, di sporcare
ciò che sembra puro, di far vacillare ciò che pare so-
lido, di lapidare ciò ch'è rispettato». (*Gog* sarà scelto nell'aprile del 1943 dalla Radio di Vichy per una
trasmissione di propaganda; e nello stesso anno una
scuola di allievi ufficiali della Repubblica di Salò lo
adotterà come testo in un corso di antisemitismo).

Ma se Papini è uno scrittore altamente apprezzato in famiglia e *Storia di Cristo* e *Gog* si allineano nella libreria in corridoio accanto alle biografie di Napoleone e ai romanzi di Bourget e Fogazzaro, la mia
famiglia non è fascista e neanche razzista. Qualche
perplessità potrebbero sollevarla i libri di Ugo Mio-
ni, un sacerdote chiamato il Salgari cattolico, che nonostante la loro indubbia ispirazione antisemita ci
vengono letti ad alta voce. Ma la preferenza che gli
è accordata ha sicuramente motivazioni religiose.

Mio padre ha studiato dai barnabiti di Lodi, un
collegio in cui era entrato a dieci anni per uscirne a

diciotto, salvo i venti giorni di vacanza all'anno in famiglia. I suoi racconti su quel tempo ci lasciano ogni
volta esterrefatti e vagamente ansiosi. Rivivono nelle
sue parole i bambini in fila sui letti del dormitorio in
attesa dell'inserviente che deve cavargli gli alti stivaletti neri. L'inserviente passa veloce e tira con tanta
forza che loro scivolano in terra, e ogni volta sembra
che insieme agli stivaletti vengano strappati via anche
i piedi. L'acqua per lavarsi al mattino coperta da un
velo di ghiaccio nella brocca. Il gioco dell'acchiappa-
rella che agli allievi è concesso solo a condizione di non
toccarsi, questo non deve succedere mai, possono solo sfiorarsi con una corda che i piú grandi mettono a
gelare nella fontana in cortile fino a farla diventare un
bastone, e con quella colpiscono con violenza i compagni piú piccoli. L'attesa spasmodica della visita della madre, una volta al mese. Il freddo e l'oscurità di
certe mattine nebbiose lo rendevano cosí malinconico
che preferiva darsi malato e passava l'intera giornata
digiuno, solo in un letto dell'infermeria.

Ma in breve tempo l'irriverente e scapestrato bambino che marinava la scuola per andare a fare il bagno nel Po, si era trasformato nell'allievo modello che
alla fine del liceo aveva ottenuto la «Menzione Ono-
revole», riconoscimento che comportava il ritratto a
olio nella galleria del collegio. Dopo era stato il Poli-
tecnico di Torino, la passione per lo studio e la sco-
perta della politica. Quasi subito si era iscritto al Partito Popolare e con il suo amico Fioravanti erano diventati degli entusiasti seguaci di don Sturzo. La
guerra del '15-18 lo aveva trovato antinterventista,
e per sua fortuna riformato per insufficienza toracica.
Al fascismo è stato allergico dal primo momento. Era
già un ingegnere che si era fatto un nome nella co-

struzione di case, ponti, strade, e nel suo ottimismo
aveva creduto in un fuoco di paglia. Ancora dopo il
delitto Matteotti aveva sperato nel rapido declino di
Mussolini. Invece era successo esattamente il contrario. Allora per arginare in ufficio la logorrea degli entusiasti del nuovo regime ha fatto attaccare nell'anti-
camera un cartello con la scritta «In questo ufficio
non si parla di politica». Si è sposato tardi: la mamma è piú giovane di lui di tredici anni.

In seguito, se voleva continuare a lavorare, come
la stragrande maggioranza degli italiani ha dovuto
iscriversi al Partito Nazionale Fascista e ne porta il
distintivo sul risvolto della giacca. Non ne possiede
in compenso alcuna divisa; le rare volte che deve indossare la camicia nera (inaugurazione di un cantie-
re, visita di qualche autorità a una strada o a un pon-
te appena terminati) noi bambini assistiamo diverti-
ti alla sua mimica sbeffeggiatrice davanti allo
specchio. Il suo grande amico dai tempi del Partito
Popolare è rimasto l'ingegnere Fioravanti che ha invece preferito andare a lavorare all'estero piuttosto
che prendere qualsiasi tessera.

Una delle migliori amiche della mamma ha sposato un ebreo, il barone Castelnuovo; e la signora Della Seta siede spesso in salotto a prendere il tè sulla
medesima poltrona dove è solita prenderlo la signora Basile. La mamma entra volentieri in negozi che
si chiamano Coen o Piperno. Fra i prediletti c'è Scho-
stal. E il nostro pediatra è il professor Luzzatti, me-
dico di Casa Reale. *Volljude*, come direbbe Hitler.

Il primo, tragico appuntamento per gli ebrei italiani è stato infatti l'ascesa al potere di Hitler, nel

1933. Qualcosa di profondamente nuovo si è fatto strada nell'immaginario degli oltre 40 milioni di abitanti la penisola. All'olio di ricino e al manganello del fascismo, ha cominciato a sovrapporsi la coreografia mortuaria e sacrificale della croce uncinata, mentre l'antigiudaismo di origine religiosa (destinato con molta probabilità a diluirsi nel tempo) si è trovato a fianco l'odio e il fanatismo di una mistica pagana. Il proclama contro gli ebrei del 29 marzo 1933, meno di due mesi dopo la nomina di Hitler a Cancelliere del Reich, ha diviso i cittadini tedeschi fra ariani e non ariani (basta avere un nonno ebreo per essere non ariano). E se nei primi decreti le restrizioni riguardano indistintamente i Mischlinge e i Volljuden (i misti e gli ebrei a pieno titolo), molto presto ai Volljuden viene riservato un trattamento che li escluderà dalla vita sociale; e infine dalla vita stessa. Sono già loro, al declinare di quel 1933, l'oggetto dello *Judenrein*, la «pulizia dagli ebrei». Solo in seguito, con la guerra, il trattamento si estenderà anche agli altri.

È del 1933 anche il Concordato fra la Chiesa e il Terzo Reich, caldeggiato e firmato dal Segretario di Stato, cardinale Eugenio Pacelli.

Durante la seduta del Consiglio dei Ministri del Reich del 14 luglio, come si può dedurre dal protocollo delle riunioni (C.I., doc. 362), il neo-cancelliere Hitler che governa uno Stato dove i cattolici sono circa 30 milioni, esprime il proprio sollievo: «Questo Concordato, il cui contenuto non mi interessa minimamente, ci ha avvolti in un'atmosfera di fiducia molto utile alla nostra lotta senza compromessi contro l'ebraismo...»

I vescovi tedeschi hanno infatti accolto con favore la notizia che li ha messi al riparo da eventuali ritorsioni naziste e gli permette ora di simpatizzare apertamente con l'uomo nuovo della nuova Germania. Si dissocia solamente il vescovo di Monaco, Faulhaber, che dal pulpito della cattedrale nella quale verrà sepolto molti anni dopo non esita a parlare contro le vessazioni di cui sono oggetto gli ebrei. Ma le sue prediche dell'Avvento su «Giudaismo, cristianesimo e germanesimo», anche se sono seguite da una folla di fedeli cosí numerosa da richiedere l'installazione di altoparlanti per poter essere ascoltate anche in altre due chiese, non trovano alcuna eco. La sua resta una denuncia isolata e la gerarchia cattolica tedesca non ritiene di dover prendere alcuna posizione. (In Italia le omelie di Faulhaber verranno pubblicate nel 1934 dalla cattolica Morcelliana di Brescia nella traduzione di Giuseppe Ricciotti. Don Ricciotti scriverà anche la esemplare prefazione).

In Francia c'è da parte cattolica un'attenzione maggiore. Lo dimostrano gli scritti e i discorsi di Jacques Maritain, di Oscar de Ferenzy, le dichiarazioni dell'oratoriano Marie-André Dieux che nell'aprile del 1933, a una manifestazione di solidarietà per gli ebrei tedeschi, sente il bisogno di dichiarare che è necessaria una «riparazione... contro le ingiustizie che nel passato si son commesse da quelli che possedevano la mia stessa fede». Non bisogna però farsi troppe illusioni. Anche in Francia finiscono per restare manifestazioni isolate. La maggioranza del clero e dei fedeli non ne avvertono che un debole suono.

Ma torniamo alla bambina seduta accanto a Annemarie nella camera con le pareti a fiori di pesco. Annemarie ricopia per lei su un album le illustrazioni da *Struwwelpeter*, il libro di Pierinoporcospino. È brava a disegnare e la matita traccia i contorni del grande Nikolas che intinge nell'inchiostro i bambini colpevoli di avere preso in giro un piccolo negro per il colore della pelle. Da quella boccetta gigante i bambini ne escono neri dalla cima dei capelli alla suola delle scarpe. Nera perfino la ciambella che reggono in mano mentre se ne vanno allegramente dietro al piccolo negro che ormai non si distingue piú da loro.

Il pomeriggio, quando mio fratello ha finito i compiti, marciamo dietro di lui intorno al bordo del tappeto nell'ingresso e cantiamo «Faccetta nera, bella abissina, aspetta e spera che già l'ora si avvicina...» in testa a turno l'unico fez di panno viola da cui pende una nappina strappata. Ma è soprattutto in primavera che il nostro repertorio canoro può dispiegarsi al meglio. Durante il tragitto in automobile per andare a Ostia a respirare l'aria salmastra che dovrebbe irrobustirci i bronchi, le nostre voci si librano in inni squisitamente patriottici. Mentre sfilano i platani della via del Mare e l'autista Francesco provvede a chiudere il vetro divisorio per non essere assordato, noi passiamo dall'esultanza del «Sole che sorgi libero e giocondo, sui colli nostri i tuoi cavalli doma...» alle malinconiche strofe di «Tu non vedrai nessuna cosa al mondo, maggior di Roma, maggior di Roma...» Fine tristissima perché tutto lascia supporre che il Maggiore di Roma (di grado certamente inferiore al nostro Duce, Maresciallo dell'Impero), si sia macchiato di una grave colpa e ora languisca in una carcerazione perpetua dietro le sbarre, condannato a non vedere piú nulla. Per fortuna arriva poi sempre il momento di «Roma rivendica l'Impero, e l'ora dell'aquila suonò, squilli di trooomba salutan il vol...», un inno che a me sembra luminosamente esaltante.

Ma da un giorno all'altro *Faccetta nera* non dobbiamo cantarla piú, il fez è confiscato e seppellito fra i giocattoli nella cassapanca dell'ingresso. Il portiere Domenico ha spiegato a Annemarie che la canzone è proibita perché insidia, con quell'invito alla «bella abissina», la pura razza ariana a cui apparteniamo. Cosí adesso quando vado qualche volta con Italia dal fornaio a comprare i panini all'olio guardo con una certa apprensione il negretto di ferro dipinto che regge una cassettina fra le mani. Se infilo una moneta, e bastano dieci centesimi, il negretto fa su e giú con la testa. Ti ringrazia, mi dice la cassiera. *Faccetta nera* adesso è lui, anche se Italia insiste che quello è il negretto delle Missioni.

Le Missioni in casa nostra sono molto importanti. Se ne parla spesso e di tanto in tanto si incarnano nei sacerdoti dalle lunghe barbe che bevono il caffè in salotto. Vengono da molto lontano e portano in regalo scatole di legno di sandalo e crocefissi intarsiati di madreperla, rosari di olive del Getzemani. Pelli di tigri con le zampe unghiate e le fauci spalancate, i freddi occhi di vetro. Prima di andare via benedicono noi bambini con una mano sulla testa; e una volta tornati in Africa ci mandano la fotografia dove sono vestiti di bianco davanti alla loro chiesa di legno appena costruita.

Nel 1937 Hitler è al potere da quattro anni e in Germania i primi campi di concentramento hanno accanto alla sezione per i politici anche quella per gli ebrei, in maggioranza accusati di «stupro di ragazze ariane». I piú lungimiranti, e che ne avevano la possibilità, hanno ricominciato a vivere altrove. Ma emigrare sta diventando un'avventura rischiosa: agli ebrei infatti è concesso di portare via sempre meno, fino a un massimo dell'8 per cento dei loro beni. E senza denaro nessuno li vuole. A marzo Pio XI promulga l'enciclica *Mit brennender Sorge* contro il neopaganesimo nazista. In italiano suona «Con bruciante preoccupazione». E a distanza di cinque giorni, con l'enciclica *Divini Redemptoris*, Pio XI condanna duramente anche il comunismo ateo e materialista.

Qualche giorno dopo la pubblicazione di *Mit brennender Sorge* il cardinale Mundelein di Chicago attacca violentemente Hitler. Pio XI lo sostiene; e il Segretario di Stato Pacelli si vede costretto a confortare l'ambasciatore tedesco in Vaticano, Diego von Bergen.

Il 1937 vede anche una nuova edizione a cura di Julius Evola dei *Protocolli dei Savi Anziani di Sion*. Il libro ha una storia lunga e complessa. La prima edizione del 1903 pubblicata a Pietroburgo sarebbe in realtà la traduzione di un testo scritto originalmente a Parigi nel 1897-98 in veste di resoconto di 22/24 conferenze politico-sociali (o protocolli) tenute segretamente a Basilea durante il congresso sionista del 1897. Conferenze che svelerebbero il vasto e occulto disegno di conquista del mondo da parte degli ebrei. I presunti *Protocolli* sono in realtà il frutto della fantasia di agenti segreti della polizia zarista, e in Russia si diffondono soprattutto dopo l'edizione del 1905 quando vengono inclusi nell'opera del mistico Sergej Aleksandrovič Nilus: *Il grande nel piccolo. L'anticristo come possibilità politica imminente*. Ma è soltanto dopo la rivoluzione, al momento che i russi bianchi si portano appresso il libro in occidente, che i *Protocolli* conoscono una grande notorietà. Tra gli anni '20 e '21 sono pubblicati anche in Germania, Inghilterra, Francia, Polonia, Ungheria, Jugoslavia e Italia; e la rivoluzione bolscevica appare come la prima tappa dell'occulto progetto di dominio ebraico.

Quasi subito il giornalista Philip Graves scopre che i *Protocolli* non sarebbero altro che un plagio e una parafrasi del libello contro Napoleone III: *Dialogue aux Enfers entre Montesquieu et Machiavel*, scritto da Maurice Joly e stampato a Bruxelles nel 1864. Ma questo non serve a impedirne la diffusione e il successo quasi ovunque.

Non in Italia. Quando sono pubblicati la prima volta nel 1921, in due diverse edizioni a cura di Giovanni Preziosi e di Umberto Benigni, un prete integrista, passano quasi inosservati. La nuova edizione del 1937, al contrario, riscuote un interesse immediato e si esaurisce in tre mesi. È inutile che, a proposito dei *Protocolli*, Jacques Maritain in un saggio molto noto del 1937, *L'impossible antisémitisme*, pubblicato nella collana «Présence», inviti a riflettere sull'antisemitismo di una certa tradizione cattolica in conflitto con il pensiero cristiano. Neanche un famoso articolo del gesuita padre Charles sulla «Nouvelle Revue Théologique» di Lovanio del gennaio 1938 ottiene un risultato migliore. Eppure padre Charles, dopo averne analizzato la falsità, concludeva: «Di questi *Protocolli*, di cui si sono voluti rendere colpevoli gli ebrei, essi sono soltanto le vittime, e vittime innocenti».

Nella terza edizione italiana del 1938, sotto il titolo *Gli ebrei in Italia*, verrà poi inserito un nuovo capitolo con l'elenco in ordine alfabetico (e si può immaginare con quale intento) di 9800 famiglie ebraiche.

Le bambine fotografate nell'estate di quel 1937 sulla terrazza del signor Stuflesser a Ortisei, nascoste da enormi margherite di carta crespata, festeggiano il 15 agosto il ritorno di papà e mamma da un viaggio attraverso la Germania. I genitori raccontano di aver percorso le nuove autostrade volute da Hitler e parlano di meravigliose *Autobahnen* su cui l'Astura filava senza un sussulto. Raccontano ancora di aver potuto ammirare l'ordine e la disciplina, la pulizia di un popolo che ha dimostrato di possedere prodigiose capacità organizzative. Non ci raccontano degli enormi striscioni fuori Rosenheim, appena varcato il confine tra l'Austria e la Baviera, dove a caratteri cubitali è scritto: *Wir wollen keine Juden*. Non vogliamo ebrei.

Una scritta a caratteri gotici, nera su giallo, che ha molto impressionato mio fratello andato con loro; ma per fortuna, a lui, biondo e fiero della sua italianità, non lo riguardava. Ha dieci anni, e dopo aver ammirato a Monaco le sentinelle montare la guardia al Sacrario Militare, folgorato dalla marzialità delle SS vestite di nero, immobili da sembrare di pietra, ha voluto farsi comprare un elmetto-giocattolo con la croce uncinata. Con quell'elmetto in testa, durante una sosta lungo una delle famose *Autobahnen*, si è fatto fotografare con il braccio levato nel saluto nazista. Strani scherzi della Kodak a soffietto capace di fissare per sempre un gesto incosciente o un impulso del momento? Condiscendenza eccessiva dei genitori, improvviso oblio, o cosa?

Ma quando quell'inverno uno dei tanti missionari venuti in visita gli carezzerà affettuosamente i capelli e per fargli un complimento gli dirà: assomigli proprio a un piccolo tedesco, in un improvviso ripensamento si tirerà rabbioso il suo biondo ciuffo.

A ottobre il nostro panorama scolastico subisce il primo mutamento della sua breve storia. Mio fratello è entrato in prima ginnasio e deve lasciare le Suore dell'Adorazione che hanno solo le classi elementari. Per lui è stato scelto l'Istituto Massimo tenuto dai gesuiti, un grande edificio seicentesco vicino alla stazione dove ogni sabato è prevista, come in tutte le scuole del Regno, l'adunata: esercizi, marce e moschetti per allenare gli alunni alla guerra. Per l'occasione la mamma gli compra da Zingone alla Maddalena un nuovo completo da balilla con pantaloncini grigioverde a mezza coscia e la camicia di seta nera. Vestito con la nuova divisa, fez e corpetto elastico, va insieme a lei a prendere papà al treno che arriva da Torino. Sono tutti e due ansiosi e gioiosi sulla banchina mentre la locomotiva entra tra nuvole di fumo sotto la grande volta di ferro della stazione Termini. La mamma ha forse un cappello di feltro, forse il soprabito leggero sull'abito di seta imprimé. Papà scende diversi vagoni piú indietro reggendo la valigetta *nécessaire* protetta dalla fodera di panno beige. È alto, magro, porta ancora il colletto duro e lo si riconosce da lontano per il cappello grigio che lui leva sempre alto a segnalare la sua presenza. La mamma sorride festosa e agita la mano nel guanto chiaro per significare: siamo qui, eccoci! Mentre viene avanti papà stringe appena le palpebre, per un attimo gli occhi dietro le lenti mettono a fuoco lei e il suo bambino in divisa. Poi riappoggia il cappello sulla testa e si mescola agli altri viaggiatori e i facchini con le valigie a tracolla. La mamma è lí con la mano alzata che non sa se abbassare o meno, mio fratello aspetta impettito e pieno di gloria, il fez un poco di traverso come di regola. Papà non fa un cenno, non un sorriso, procede dritto con la sua valigetta nella fodera di panno; e prima che la mamma possa aprire bocca, mio fratello muovere un muscolo, è già oltre con lo sguardo fisso davanti a sé. Già il suo cappello grigio si confonde con gli altri nel grande atrio della stazione. Scompare. La mamma e mio fratello sono rimasti soli davanti ai vagoni vuoti, gli ultimi sbuffi di vapore che diventano acqua sulle rotaie.

Non so cosa si siano detti la mamma e il suo bambino in divisa mentre tornavano a casa e Francesco seduto al volante guidava l'Astura. Se sia stata piú forte l'umiliazione o abbia vinto il senso del ridicolo. Non so neanche se l'avversione di mio fratello per tutte le adunate a venire e per quella camicia nera di seta, quei pantaloncini grigioverde a mezza coscia, sia nata nel breve tragitto dalla stazione a casa mentre la grande M del fez luccicava metallica al sole di ottobre.

Il 12 marzo del 1938 le truppe tedesche oltrepassano il confine con l'Austria. Il 13 il paese è chiamato a far parte del Grande Reich. Il 14 Hitler entra trionfalmente a Vienna fra due ali di folla festante mentre da dietro le transenne le bambine in costume agitano mazzolini di fiori. Attraverso un referendum che verrà esteso anche ai tedeschi, gli austriaci sono ora chiamati a pronunciarsi a favore dell'annessione, l'*Anschluß*, che trasformerà il loro paese in una nuova provincia della Germania; dalla consultazione sono esclusi naturalmente i circa 200 000 austriaci schedati come ebrei. Ha subito inizio una grandiosa campagna di convincimento nella quale anche la Chiesa è invitata a svolgere la sua parte. Il 15 marzo il vescovo di Vienna, il cardinale Theodor Innitzer, si incontra con Hitler. Il colloquio è cosí convincente che il cardinale manda una circolare alle varie diocesi per invitarle a fare propaganda a favore dell'*Anschluß*; con una attenzione particolare, scrive, alle associazioni giovanili. Nella circolare afferma di avere avuto assicurazione dal Führer «Che la Chiesa non dovrà pentirsi per la sua fedeltà alla Grande Germania». Il 27 marzo in tutte le chiese del paese viene letta la dichiarazione collettiva dell'episcopato austriaco: «... Noi riconosciamo con gioia che il partito nazionalsocialista ha fatto e fa ancora una eminente azione nel campo della costruzione nazionale e economica e nel campo della politica sociale per il Reich e la nazione tedesca e specialmente per gli strati piú indigenti della popolazione. Noi siamo ugualmente convinti che il partito nazionalsocialista ha allontanato il pericolo del bolscevismo ateo e distruttore.

I vescovi accompagnano questa attività per l'avvenire con le loro migliori benedizioni e istruiranno i fedeli in questo senso.

Il giorno del plebiscito, non c'è bisogno di dirlo che è per noi un dovere nazionale, in quanto tedeschi, di dichiararci per il Reich tedesco, e ci aspettiamo lo stesso da tutti i cristiani credenti che sapranno quello che essi devono alla loro nazione».

Il 1° aprile il cardinale Innitzer manda un messaggio al cardinale Bertram, presidente della conferenza di Fulda che riunisce la maggioranza dei vescovi cattolici della Germania, in cui esprime la speranza che anche l'episcopato tedesco si allinei a quello austriaco. E in fondo all'appello, prima della firma, aggiunge di suo pugno: *Und Heil Hitler!*

Tanto immediato entusiasmo suscita non poche reazioni. Il 2 aprile «L'Osservatore Romano» precisa che la dichiarazione dell'episcopato austriaco è stata redatta e sottoscritta senza approvazione da parte della Santa Sede. Ma la sera prima, alle otto, la Radio vaticana ha mandato in onda una trasmissione in tedesco che aveva per argomento: *Che cos'è il cattolicesimo politico?* Una specie di chiacchierata molto critica verso l'episcopato austriaco e il cardinale Innitzer in particolare, tenuta da un gesuita tedesco che per ovvie ragioni ha voluto mantenere l'incognito.

Il gesuita in questione si chiama Gustav Gundlach

ed è un esperto in dottrina sociale della Chiesa. Ma un delatore all'interno del Vaticano trasmette il suo nome a Berlino; e alla fine di maggio qualcuno avverte Gundlach che se torna in Germania verrà arrestato.

Il cardinale Innitzer è stato intanto convocato d'urgenza da Pio XI e arriva a Roma il 5 aprile in aereo. Il risultato è una ritrattazione che si articola attraverso una nuova dichiarazione dove il cardinale, a nome suo e di tutto l'episcopato austriaco, invita i fedeli a non tenere conto di quanto espresso in precedenza perché qualsiasi indicazione politica è contraria alla fede e alla libertà di coscienza dei cattolici. Si avverte inoltre che né lo Stato né alcun partito politico sono autorizzati a usare in proprio favore qualsiasi precedente dichiarazione.

Il 10 aprile l'*Anschluß* riscuote un «Ja» massiccio: 99,08 per cento di votanti in Germania, e 99,75 in Austria: l'ex impero asburgico è da questo momento una nuova provincia del Reich: l'Ostmark.

Io già da ottobre sono finalmente entrata in prima elementare. È ancora freddo e fuori in giardino i passeri beccano fra la ghiaia, gli alberi sono scossi dalla tramontana. La mia maestra è una fervente fascista e la prima poesia che imparo è «Sulle ginocchia materne compitava Benito, Luigi Nason», dove il nome dell'autore, Luigi Nason, è per me parte integrante della composizione. Sulla copertina del mio quaderno il Re e il Duce mostrano alti pennacchi bianchi. Il Re è basso e mingherlino, come si può facilmente vedere nei Filmluce a cui assisto il sabato pomeriggio sprofondata nel sedile e nella noia quando papà ci porta con lui al cinema Planetario. Il Duce invece

è corpulento e pettoruto e va a cavallo a Villa Torlo-
nia o si erge a torso nudo sulla neve con gli sci ai piedi. Una sua gigantografia troneggia nella sala da pranzo dell'albergo al Terminillo, stazione sciistica da poco aperta a diletto dei romani dove qualche volta
veniamo portati a giocare con uno slittino.

L'unica cosa che mi rattrista è che non possiedo
una divisa da piccola italiana. A casa l'hanno giudi-
cata superflua; se necessario userò quella di mia sorella Teresa. Ma a scuola le suore non mi chiedono
mai di venire con la divisa, serve, dicono, solo per
l'esame di quinta. Mi dispiace per quella mantella nera simile a una ruota e il berretto, una specie di cal-
za che pare seta. Quando giochiamo a travestirci le
sorelle usano quella mantella come una gonna lunga
ai piedi, io invece mi devo accontentare di annodare
in vita il grande fazzoletto a fiori che la notte scher-
ma la luce sul comodino. Per qualche ragione che va
ricercata nell'infanzia, i nostri travestimenti riguardano infatti sempre e solo il «davanti»; la parte posteriore, sedere, schiena, polpacci, non esiste.

Ma piú spesso, usando i teli da stiro, le sorelle
«fanno le suore» e le bambole allineate sulle sedie diventano i vessatissimi alunni. Io ho una istintiva ri-
trosia a indossare abiti monacali, anche solo per gioco, e preferisco continuare a mettere il fazzolettone
a fiori per «fare la maestra». A volte mi trasformo
nella «signora sportiva» chiudendo con una spilla da
balia la gonna in mezzo alle gambe nell'illusione di
indossare i pantaloni. La signora sportiva guida l'automobile e l'aereo. Fuma e gioca a tennis.

La campagna di stampa per sensibilizzare un'opinione pubblica poco attenta all'argomento «razza», è intanto cominciata in Italia da piú di un anno. Lo squillo di tromba lo ha dato, nell'aprile del 1937 la comparsa in tutte le librerie del libro di Paolo Orano: *Gli ebrei in Italia*. Ma dopo l'annessione dell'Austria, l'esempio dell'allievo che ha superato il maestro galvanizza e rende impaziente il nostro Duce; e in breve tempo l'argomento «razza» diventa di attualità su tutta la stampa nazionale. Non sono piú solo le testate dichiaratamente antisemite quali «Il Tevere» e «L'Assalto», «La vita italiana» di Giovanni Preziosi o la rivista di Farinacci «Il Regime Fascista», la nuova serie satirica de «Il giornalissimo» di Oberdan Cotone. Sono i quotidiani moderati a larga diffusione come «il Resto del Carlino», «La Stampa», «Il Messaggero», il «Corriere della Sera». Rare eccezioni macchiano tanta compattezza: una è «Il Piccolo» di Trieste diretto da Alessi. Ma qualche tempo dopo anche Alessi, domato, rientra nei ranghi. Emilio De Bono, quadrunviro della marcia su Roma ed ex capo della polizia, il 3 settembre 1938 potrà annotare sul suo diario «la stampa... è piú del solito servilmente schifosa».

Gli attacchi agli ebrei coprono un vasto orizzonte, si va dagli ebrei nella finanza e nella borsa agli ebrei nella stampa, nell'agricoltura, nel commercio e nel teatro, nel cinema e nella marina, nella musica. Non vengono risparmiati nemmeno gli ebrei impegnati nello sport. Il linguaggio alza il tono e abbassa lo stile come dimostra il redattore di «Roma fascista» che il 5 ottobre 1938, prendendo spunto da alcuni ebrei fermati alla frontiera mentre cercavano di espatriare portando con sé parte dei loro beni, scrive: «I giudei tutti, i filogiudei e le persone sospette

quando lasciano l'Italia devono portarsi via quattro
soldi, i vestiti e il loro muso. Ma se i vestiti dovessero servir loro per trafugare anche un soldo, allora spo-
gliamoli nudi e nudi facciamogli passare la frontiera
a suon di calci al tergo».

Fra gli intellettuali uno degli obbiettivi preferiti è
per il momento Alberto Pincherle, Moravia (benché
ebreo misto). Ma anche Benedetto Croce viene at-
taccato quando la sua rivista «La Critica» pubblica
un articolo in forma di «epistola» dell'umanista An-
tonio Galateo in difesa degli ebrei. Lo stesso succe-
de a Ezio Garibaldi quando interviene con un duris-
simo articolo su «Camicie rosse». La protesta di Ma-
rinetti che gode di grande prestigio nell'entourage
fascista, provocherà piú scompiglio. Nel numero di
dicembre del 1938, sul giornale «Artecrazia», Mari-
netti attaccherà con violenza le leggi razziali sul piano culturale sostenendo che attraverso l'antisemitismo si vuole colpire, come in Germania, l'arte moderna. Il giornale verrà subito sequestrato ma le copie
clandestine avranno vita lunga.
   Restano comunque casi isolati. E se il nuovo corso non suscita nella maggioranza degli italiani l'entusiasmo che Mussolini neanche si aspetta, manca da
parte della classe intellettuale perfino l'ombra di quella fiera opposizione che piú di qualcuno avrebbe sperato. C'è invece quella che Concetto Marchesi nel
gennaio 1945 definirà la «libidine di assentimento».
Una accoglienza cosí calorosa da spingere Francesco
Biondolillo a intervenire su «L'Unione Sarda» del 14
aprile del 1939: «Ma forse il pericolo maggiore è nella prosa narrativa, dove a cominciare da Italo Svevo,

ebreo di tre cotte, ad Alberto Moravia, ebreo di sei cotte, si va tessendo tutta una miserabile rete per pescare nel fondo limaccioso della società figure ripugnanti di uomini che non sono "uomini" ma esseri abulici, infangati di sessualità bassa e repugnante, malati fisicamente e moralmente... I Maestri di tutti cotesti narratori sono quei pezzi patologici che si chiamano Marcel Proust e James Joyce, nomi stranieri e di ebrei fino al midollo delle ossa, disfattisti fino alla radice dei capelli». (Nel dopoguerra Francesco Biondolillo otterrà la libera docenza e oltre a insegnare in un liceo romano, terrà numerose lezioni di letteratura italiana all'Università La Sapienza di Roma).

E per premiare tanta buona volontà e mantenere vivo l'entusiasmo, il governo decide di aumentare – arriverà a triplicarle – le sovvenzioni statali a favore degli intellettuali.

Furono in tanti a firmare articoli che sostenevano a vele spiegate il valore e la qualità della razza italica, e l'insidia a tanta purezza da parte degli ebrei. Molti allora erano poco piú che ragazzi, cresciuti a una scuola fascista, ma altri invece erano già adulti: uomini fatti, come si sarebbe detto a quel tempo. Valga come esempio per tutti Guido Piovene che nel 1938 aveva trent'anni ed era già un intellettuale affermato, giornalista e romanziere. Nel novembre, a leggi razziali fresche di stampa, accetta di recensire un repellente libretto di Telesio Interlandi direttore de «La difesa della Razza», una nuova rivista dalla grafica aggressiva e anticonvenzionale che ha fra i suoi finanziatori la Banca Commerciale e il Credito

Italiano, il Banco di Sicilia e la Breda, le Officine Villar Perosa, la Riunione Adriatica di Sicurtà e l'Istituto Nazionale delle Assicurazioni. Il libretto in questione si chiama *Contra Judaeos* e recensendolo per il «Corriere della Sera», Piovene scrive: *Chiarire agli italiani che la razza è un dato scientifico, biologico, basato sull'affinità di sangue, è il primo compito che il libro incoraggia; secondo, di dimostrare che l'inferiorità di alcune razze è perpetua; che negli incroci l'inferiore prevale sul superiore; che la razza italiana dev'essere gelosa della sua immunità... Gli ebrei possono essere solo nemici e sopraffattori della nazione che li ospita. Di sangue diverso, e coscienti dei loro vincoli, non possono che collegarsi contro la razza aliena. L'enorme numero di posizioni eminenti occupato in Italia dagli ebrei, è il risultato di una tenace battaglia. Come stranieri, essi tentano di ottenere il trionfo sulla cultura nazionale altrui, portandola a forme «europeistiche», staccandola dalle radici popolari dell'arte, come è avvenuto in Italia.*

Quasi contemporaneamente arriva per noi *Euro, ragazzo aviatore*. Il libro di Gino Chelazzi, pubblicato nella Biblioteca dei Miei Ragazzi, ci propone la storia di un giovinetto «audace e temerario, che pilota un apparecchio per una prova da cui l'Italia deve riuscire vittoriosa. Mille insidie inceppano l'ardita volontà del giovane eroe, che, con cuore saldo, polso fermo, procede imperterrito nel difficile volo. È Euro il ragazzo della grande Italia fascista»... Una Italia che non può tollerare oltre gli intrighi dei suoi invidiosi nemici, e in particolare dell'ebreo Jacob Manussai «lurida figura di vecchio con una lunga zazzera ed una barbetta caprina di un bianco sporco. Naso adunco, sopracciglia folte, sguardo acuto dietro un enorme paio di occhiali, labbra vizze, tra le quali apparivano zanne giallastre» che tenta di far fallire l'audace impresa di Euro. Invano; grazie anche a Giorgione Pascal, gangster sí, ma pentito e italoamericano.

Ma nonostante l'entusiasmo che Chelazzi mette nel descriverci la mirabolante impresa, lo spaccone e fascistello Euro riscuote fra noi bambini scarsissimo successo. Le vicende del suo idrovolante messe a confronto con le appassionanti avventure della *Teleferica misteriosa* o della *Torre del nord* vengono da noi considerate noiose e stupide.

I segnali di quanto sta per accadere si fanno intanto sempre piú evidenti. E se l'opposizione di Pio XI è ostinata oltre il previsto, le trattative fra il Vaticano e Mussolini proseguono tramite il Nunzio Borgongini-Duca. Il tentativo è di suscitare la benevolenza del Papa mettendo in evidenza quanto, nelle nuove leggi, si richiama alle secolari propensioni della Chiesa nei confronti degli ebrei: «discriminare senza perseguire».

Ma Pio XI non è un uomo pavido o malleabile e lo scontro con Mussolini comincia a delinearsi in tutta la sua durezza. Gli ostacoli sono numerosi e uno soprattutto sembra insuperabile: la norma che riguarda i matrimoni fra cattolici e ebrei convertiti (ma anche non convertiti, quando il matrimonio è stato celebrato in chiesa) che se considerati nulli vengono a contraddire il Concordato firmato l'11 febbraio del 1929.

A sollievo di Mussolini «La Civiltà Cattolica», rivista ufficiale dei gesuiti che gode di grande autorità per i suoi legami con la Segreteria di Stato, si dimostra nei confronti dei nuovi orientamenti politici piú morbida e comprensiva e sulla «questione ebraica» ha scelto la linea di «una segregazione o distinzione conveniente ai nostri tempi». A firma di padre Enrico Rosa che è stato direttore della rivista dal 1915 al 1931 e attualmente è uno dei redattori piú autorevoli, gli articoli che condannano il razzismo biologico nello stesso tempo mettono in guardia verso gli ebrei «non perché di razza ebraica, ma per i loro atteggiamenti e la loro cultura».

Qualche grosso fastidio Pio XI deve però ancora darlo. Quando il 2 maggio 1938 Hitler arriva a Roma tutta la città è illuminata a festa, solo il Vaticano è al buio. Per non incontrare il Führer, il Papa è andato a Castel Gandolfo il 30 aprile anticipando le vacanze estive. E il 3 maggio Pio XI rende pubbliche sull'«Osservatore Romano» una serie di proposizioni sul razzismo che ritiene inaccettabili, un piccolo sillabario in otto punti che la Congregazione Romana competente ha inviato alle Università cattoliche già dal 13 aprile.

La sera dell'arrivo di Hitler vengo portata a vedere il Colosseo e via dell'Impero illuminati. Su delle colonne sono posati dei grandi piatti di bronzo con dei fuochi. Non ho mai visto niente del genere: quei piatti dove si levano le fiamme mosse dal vento si chiamano «tripodi». Hitler comanda i tedeschi, Annemarie è fiera di lui. Alle suore che sono francesi invece Hitler non piace, madre Gregoria quando le racconto dei piatti di bronzo con le fiamme, storce il suo piccolo naso.

È domenica mattina e papà è ancora a letto, io mi sono infilata fra le lenzuola per farmi raccontare la favola della capretta disubbidiente. Amo il corpo di papà, la sua magrezza fragile nel pigiama, la pelle bianchissima delle braccia che escono dalle maniche troppo larghe. Il suo modo di raccontare tra l'ironico e il didattico, gli occhi grigio-azzurri dove la capretta disubbidiente sembra spiccare il salto verso di me. Una luce limpida e fresca, liquida, vince il grigiore dei palazzi di fronte, ma non deve essere molto tardi perché Italia bussa alla porta per posare sul letto i giornali che ha comprato tornando da messa. «L'Osservatore Romano» non c'è, dice. Come non c'è, se doveva essere in edicola ieri pomeriggio? Papà la guarda stupito. Il giornalaio ha detto: oggi niente giornali di sacrestia... Italia fa una smorfia di disprezzo al suo indirizzo e resta lí sulla porta come se la gravità dell'avvenimento le conferisse improvvisamente una specie di autorità. La capretta è sparita dagli occhi grigio-azzurri di papà, per questa mattina non la rivedrò piú. Io non so cosa significa «giornale di sacrestia» ma condivido lo stupore e la riprovazione generale per quanto è venuto a turbare il mio mattutino idillio domenicale.

Qualche giorno dopo è ancora peggio, Italia viene insultata e qualcuno le strappa di mano «L'Osservatore Romano» che ha appena comprato: il suo largo viso dalla carnagione olivastra è questa volta alterato dall'affanno e le mani fanno dei gesti in aria come se dovesse difendersi da una minaccia, il grembiule a quadretti che le fuoriesce dal paltò.

A fine maggio, tre settimane dopo la visita di Hitler a Roma, una commissione dell'ufficio di polizia razziale del Reich si installa discretamente a Milano per aiutare i colleghi fascisti.

Il 2 luglio padre Enrico Rosa recensisce su «La Civiltà Cattolica» un volume di confutazione al razzismo nazista di Rudolf Laemmel, pubblicato in Svizzera: *La «teoria moderna delle razze» impugnata da un acattolico*; e anche se ne accetta le tesi sul razzismo ateo tedesco, padre Rosa scrive poi «Esagera tuttavia l'autore, troppo immemore delle continue persecuzioni degli ebrei contro i cristiani, particolarmente contro la Chiesa Cattolica e dell'alleanza loro con i massoni, coi socialisti e con altri partiti anticristiani; esagera troppo quando conchiude che "sarebbe non solo illogico ed antistorico, ma un vero tradimento morale se oggidí il cristianesimo non si prendesse cura degli ebrei". Né si può dimenticare che gli ebrei medesimi hanno richiamato in ogni tempo e richiamano tuttora su di sé le giuste avversioni dei popoli coi loro soprusi troppo frequenti e con l'odio verso Cristo medesimo, la sua religione e la sua Chiesa Cattolica, quasi continuando quel grido dei loro padri che imprecava al sangue del Giusto e del Santo...»

A luglio, mentre noi bambini corriamo come ogni estate giú per i prati di Ortisei, un discreto numero di professori e assistenti offre al Duce il regalo piú ambito: l'avallo ufficiale della scienza. Una specie di investitura culturale alla campagna intrapresa per difendere la Razza romano-italica. Il 25 luglio (data che cinque anni dopo sarà fatale a Mussolini) un comunicato del Partito Nazionale Fascista rende noti i nomi degli illustri estensori del *Manifesto degli scienziati razzisti*, pubblicato anonimo il 14 sul «Giornale d'Italia». Il documento si chiama in realtà *Il fascismo e i problemi della razza* ed è stato elaborato da Guido Landra, un giovane assistente di antropologia, su indicazioni di Mussolini e Dino Alfieri. Al pubblico viene presentato ufficialmente come frutto dell'esimio direttore dell'Istituto di Patologia medica di Roma (riuscirà a conservare la cattedra fino al 1955), professore Nicola Pende, studioso noto in campo internazionale e Senatore del Regno in collaborazione con gli illustri professori Arturo Donaggio, titolare di Neuropsichiatria a Modena (morirà nel 1942); Franco Savorgnan, titolare di Statistica a Roma, presidente dell'Istituto Centrale di Statistica (resterà in cattedra fino al 1949); Sabato Visco titolare di Fisiologia generale e direttore dell'Istituto Nazionale della Nutrizione a Roma (resterà in cattedra fino al 1963); Edoardo Zavattari, titolare di Zoologia a Roma (resterà in cattedra fino al 1958); a cui vanno aggiunti un discreto numero di assistenti: Lino Businco, Lidio Cipriani, Leone Franzi, il su citato Guido Landra, e Marcello Ricci.

Il risultato è tale che Mussolini potrà ufficialmente dichiarare che l'orientamento del razzismo italiano è *ariano nordico*.

Il *Manifesto* spiega infatti ai quarantaquattro milioni di viventi nella penisola l'esistenza delle razze e le sue diverse caratteristiche, e in definitiva a quale importante razza essi stessi appartengano (esclusi naturalmente i 48 032 ebrei) e come tale patrimonio vada conservato geneticamente puro al fine di non alterarne le caratteristiche che lo hanno distinto nel mondo. Una spiegazione «scientifica» che di fatto

avalla la decapitazione prossima ventura dell'Istituto di Fisica e di Matematica, due Istituti che hanno
vissuto a cavallo del secolo il loro periodo aureo. Su
di loro le leggi razziali, aggiunte all'autarchia culturale propagandata dal regime, cadranno come una
mannaia. Sprofonderà l'Istituto di Matematica in un
isolamento che lo allontanerà per sempre dai vertici
internazionali raggiunti all'inizio del secolo. Con una
lettera di quattro righe a firma del rettore Cardinali
che avvisa: *Dalla vostra scheda di censimento personale risulta che appartenete alla razza ebraica. Siete stato
pertanto sospeso dal servizio a decorrere dal 16 ottobre
1938 XVI a norma del R:D:L:5-9-1938 n° 1390*, verranno estromessi dall'insegnamento e da qualsiasi altra carica, il professore Tullio Levi-Civita, socio della francese «Académie des Sciences», unico redattore   italiano   della   prestigiosa   rivista   tedesca
«Zenterblatt für Mathematik» (i cui redattori piú
qualificati, per protesta, daranno le dimissioni). Fe-
derigo Enriques, Beniamino Segre e Guido Castelnuovo, fondatori della scuola italiana di geometria al-
gebrica; Guido Fubini, Guido Ascoli, Gino Fano,
Alessandro Terracini, solo per citarne alcuni. Per la
fisica, l'espulsione di Emilio Segré, Eugenio Fubini,
Leo Pincherle, Bruno Rossi e Enrico Fermi che seguirà gli altri avendo la moglie ebrea, significherà la
fine di quella straordinaria esperienza che va sotto il
nome di «Scuola di via Panisperna». A questo proposito si potrebbe citare la risposta che diede David
Hilbert, massima autorità mondiale nel campo della
matematica, quando il ministro nazista della cultura
del Reich si recò nel 1934 a presenziare un banchetto all'Università di Gottinga, e chiese se era vero che
l'Istituto di Matematica aveva sofferto per l'espul-

sione degli ebrei: «Sofferto? Non ha sofferto, Signor Ministro, semplicemente non esiste piú».

Elencare tutti i «sospesi» nelle varie discipline richiederebbe piú pagine; e per impedire che tali professori di malarazza inquinino all'estero il buon nome italiano, viene loro formalmente interdetto di partecipare a qualsiasi convegno internazionale.

Quando Levi-Civita morirà nel 1941 senza neanche l'assistenza di un'infermiera (poiché sarà proibito agli ebrei avere alle proprie dipendenze personale ariano), l'unico a ricordarlo con un necrologio sarà «L'Osservatore Romano». Levi-Civita era infatti anche membro della Pontificia Accademia delle Scienze.

Ma non c'è dubbio che la soddisfazione maggiore Mussolini è destinato a riceverla dal Corpo Accademico dell'Università quasi al completo. I professori ebrei, fra ordinari e straordinari, sono infatti 98, e 194 i liberi docenti. Quasi trecento posti che con le leggi razziali si rendono immediatamente disponibili facilitando alquanto la digestione di provvedimenti in apparenza indigeribili. Senza tenere conto che la nuova corsa ai posti vede di colpo rendersi vacanti alcune fra le cattedre piú prestigiose. L'unica preoccupazione del Corpo Accademico è per le cattedre che rimarranno senza docente; e subito gli appelli perché non vengano soppresse ma ogni Facoltà possa conservare le sue si fanno pressanti.

Per quanto riguarda i «subentranti» si conosce un solo rifiuto all'offerta di occupare una cattedra forzatamente lasciata libera dal docente di «razza ebraica»: quello di Massimo Bontempelli.

Quasi contemporaneamente alla pubblicazione del

Manifesto della Razza, il Ministero dell'Interno rende noto che l'Ufficio demografico centrale è stato trasformato in Direzione generale per la Demografia e Razza. La nuova creatura, chiamata per semplicità «Demorazza», per cinque anni deciderà la sorte di decine di migliaia di ebrei italiani e stranieri, affiancata da un agguerritissimo Tribunale, sempre della Razza, che dovrà stabilire i ricorsi di quanti tenteranno di sfuggire alle maglie della segregazione.

Il 16 luglio «L'Osservatore Romano», nel dare la notizia in seconda pagina della pubblicazione del *Manifesto*, si limita a un breve riassunto in cui cerca di mettere in evidenza gli «"obbiettivi rilievi scientifici", diversi nello scopo da quello che comunemente si definisce "razzismo"; e che paiono prevalere le differenze "spirituali" piú che "biologiche", in quanto non esistono razze superiori o inferiori». Lo stesso 16 luglio padre Barbera su «La Civiltà Cattolica» commenta favorevolmente le misure antisemite proposte dal governo ungherese che adottano criteri proporzionali per limitare la presenza degli ebrei nella vita pubblica e nelle professioni liberali.

Ma se il *Manifesto della Razza* sembra non scontentare le alte gerarchie ecclesiastiche in quanto «discrimina ma non persegue», provoca invece una reazione decisamente contraria in Pio XI. Già il 15 luglio, durante un'udienza concessa alle madri capitolari delle suore di Nostra Signora del Cenacolo, in un'ampia e articolata confutazione dal punto di vista cristiano di quello che chiama «Nazionalismo esagerato», il Papa dichiara «che impedisce la salute delle anime, che solleva barriere tra gente e gente, che è contrario non solo alla legge del buon Dio, ma alla stessa fede, allo stesso *Credo*, quel *Credo* che si canta in tutte le cattedrali del mondo... Ma "cattolico" vuol dire "universale"; non v'è altra traduzione possibile, sia in italiano che in altra lingua moderna...» E pochi giorni dopo, parlando a 150 assistenti ecclesiastici dei giovani di Azione cattolica, torna sugli stessi argomenti: «Purtroppo c'è qualcosa di assai peggio che una formula o un'altra di razzismo e di nazionalismo, ossia lo spirito che la detta. Bisogna dire che c'è qualcosa di particolarmente detestabile, questo spirito di separatismo, di nazionalismo esagerato, che appunto perché non cristiano, non religioso, finisce con non essere umano».

Nel piú famoso discorso del 28 luglio agli allievi dell'Istituto di Propaganda Fide, Pio XI si chiede «come mai, disgraziatamente, l'Italia abbia avuto bisogno di andare ad imitare la Germania» e afferma che «esiste una sola razza umana» sottolineando come il razzismo sia estraneo alla tradizione italiana.

Mussolini, quando gli viene riferito quest'ultimo discorso (definito il 30 luglio da Ciano nel suo diario «violentemente antirazzista»), dà disposizioni alla stampa perché lo ignori. E ai prefetti viene inviata una circolare perché ne impediscano la pubblicazione nei periodici parrocchiali. A riportare un poco di sereno è il Nunzio Borgongini-Duca. Dopo un colloquio durante il quale Ciano gli ha fatto presente l'irritazione del Duce per le pubbliche dichiarazioni di Pio XI, sempre alla data del 30 luglio, Ciano può scrivere «il Nunzio ... si è rivelato personalmente molto antisemita».

Il giorno dopo tutti i quotidiani riportano la risposta di Mussolini, pronunciata in occasione della

visita a un campo di graduati avanguardisti «Sappia-
te, ed ognuno sappia, che anche nella questione della
razza noi tireremo diritto. Dire che il Fascismo ha imi-
tato qualcuno o qualcosa è semplicemente assurdo».

Quello che risulta oggi piú difficile capire è come
mai «L'Osservatore Romano» abbia evitato di riportare per esteso il discorso di Pio XI agli allievi
dell'Istituto di Propaganda Fide. Una supervisione
esercitata dalla Segreteria di Stato di cui è titolare il
cardinale Pacelli? Un improvviso «arresto di marcia»
dello stesso Pio XI?
Quest'ultima ipotesi sembra meno probabile. Il 6
settembre infatti, parlando a un gruppo di pellegrini
della Radio cattolica belga, Pio XI ribadisce la condanna del «nazionalismo separatistico» e del «razzismo» in maniera ancora piú inequivocabile.
Ma qui si apre un piccolo giallo: i pellegrini sono
guidati da monsignor Picard, presidente della Radio
cattolica belga. In una relazione dell'incontro da lui
pubblicata oltre che su «La Croix» e «La Documentation Catholique», anche su «La libre Belgique», il
discorso del Papa, per suo espresso desiderio, compare per intero. Racconta monsignor Picard che prima furono ricevuti lui e altri due religiosi e al Papa
venne consegnato un *messale*; subito dopo furono ricevuti tutti gli altri pellegrini. Ed è stato sfogliando
il *messale* che il Papa si è soffermato sulla preghiera
del canone della Messa «Supra quae propitio ac sereno vultu respicere digneris, et accepta habere, si-
cuti accepta habere dignatus es pueri tui justi Abel,
et sacrificium Patriarchae nostri Abrahae...» qui
Pio XI si è interrotto e rivolgendosi a monsignor Pi-

card, ha commentato «Sacrificio di Abele, sacrificio di Abramo, sacrificio di Melchisedec, in tre righe tutta la storia religiosa dell'umanità... Testo grandioso, tutte le volte che lo leggiamo, siamo colti da una emozione irresistibile: Sacrificio Patriarchae nostri Abrahae. Osservate, Abramo è chiamato nostro patriarca, nostro antenato. L'antisemitismo non è compatibile con il pensiero e la realizzazione sublime che sono espressi in questo testo. È un movimento antitetico, con il quale noi cristiani non abbiamo niente a che fare». A questo punto, racconta monsignor Picard, il Papa non è più riuscito a contenere l'emozione e con la voce alterata ha citato le frasi di San Paolo che mettono in luce la nostra discendenza spirituale da Abramo: «No, – ha concluso, – non è possibile ai cristiani partecipare all'antisemitismo... Noi siamo spiritualmente dei semiti».

«L'Osservatore Romano» dà invece la notizia dell'avvenuto incontro in due giorni diversi, il 6 e il 7 settembre. Secondo il giornale vaticano il 6 fu ricevuto un comitato ristretto composto di tre persone fra cui monsignor Picard, e al Papa venne consegnata una *radio*. E sempre il 6 settembre, secondo «L'Osservatore Romano», il Papa avrebbe subito dopo concesso un'udienza a 400 rappresentanti dell'Azione cattolica; il discorso di Pio XI a questi ultimi non viene riportato ma lungamente commentato sottolineando che il Papa voleva prima di tutto raccomandare di non mettere in questione razzismo e non razzismo, perché è molto facile prendere una parola per l'altra. L'incontro con i pellegrini della Radio cattolica belga sarebbe invece avvenuto il giorno 7; e nel riportare il discorso il giornale vaticano ne omette alcune frasi, tra cui quelle citate prima.

Il 18 settembre Mussolini è a Trieste per un giro commemorativo della vittoria. Nel porto sono ancorate le navi da guerra e il mare riluce tra le sponde verdissime del golfo, la folla festante straborda dalla grande piazza nelle vie laterali. Un Duce euforico per i successi delle camicie nere in Spagna, affronta d'impeto l'argomento che piú sembra stargli a cuore. «Nei riguardi della politica interna il problema di piú scottante attualità è quello razziale – declama spiccando le sillabe una per una – ... poiché la Storia ci insegna che gli imperi si conquistano con le armi, ma si tengono con il prestigio, e per il prestigio occorre una chiara, severa coscienza razziale che scandisca non soltanto delle differenze ma delle superiorità nettissime... Tuttavia gli ebrei di cittadinanza italiana i quali abbiano indiscutibili meriti militari o civili nei confronti dell'Italia e del regime, troveranno comprensione e giustizia. Quanto agli altri, si seguirà nei loro confronti una politica di separazione, alla fine il mondo dovrà stupirsi piú della nostra generosità che del nostro rigore. A meno che – e qui il tono si fa minaccioso – A meno che – ripete – i semiti d'oltre frontiera, e quelli all'interno, e soprattutto i loro improvvisati e inattesi amici che da troppe cattedre li difendono – la voce ha un attimo di sospensione, l'allusione a Pio XI non potrebbe essere piú esplicita mentre la folla esplode in un'ovazione di consensi – non ci costringano a mutare radicalmente cammino...»

Neanche un mese dopo, durante la seduta del Gran Consiglio che vedrà le leggi razziali approvate a gran maggioranza, sarà ancora piú perentorio: «Dichiaro che questo Papa è nefasto alle sorti della Chiesa cattolica».

È l'autunno romano, gli ultimi giorni di ottobre si stemperano in una luce di foglie rossastre e improvvisi acquazzoni. Le leggi razziali stanno per entrare in vigore, un accordo dell'ultimo momento tra Mussolini e la Santa Sede permette agli Istituti religiosi di accogliere alunni di razza ebraica che pratichino la religione cattolica. Ma per i matrimoni misti è ancora guerra; e il 4 novembre Pio XI scrive una lettera al Re dove dichiara che le nuove disposizioni riguardo al matrimonio sono una violazione del Concordato. Il giorno 5 scrive anche a Mussolini sullo stesso argomento. Il Re si limita a rispondere di avere trasmesso la lettera al Duce, senza altri commenti. Mussolini non risponde per niente, e fa anzi sapere di «avere l'impressione che il Vaticano tiri troppo la corda». Il 6 Ciano annota sul suo diario: «burrasca in vista con la Chiesa». Approvate le leggi razziali dal Consiglio dei ministri il 10 novembre, il 13 la Santa Sede, tramite il Nunzio Borgongini-Duca, presenta all'Ambasciata d'Italia una nota ufficiale di protesta per la violazione dell'articolo 34 del Concordato. Il 15 novembre Ciano annota nel diario «protesta, a dire il vero, molto blanda, inviata dalla Santa Sede...»

La posizione del Papa non è infatti condivisa da tutto il Sacro Collegio e grazie all'opera di mediazione della diplomazia vaticana la questione dei matrimoni misti si è appannata con concessioni piú o meno velate da ambo le parti; ma soprattutto da parte della Chiesa.

Scongiurato per il momento un aperto conflitto con Pio XI, le nuove leggi possono entrare immediatamente in vigore. Cosa sono poi 48 032 individui, «persone» come verranno ora in avanti indicati nei documenti ufficiali, «giudei» come verranno definiti in via non ufficiale ma corrente? Nell'autunno del 1938 gli ebrei residenti in Italia sono 58 412, ma di questi 10 380 sono stranieri e solo 48 032 italiani: tanti risultano al censimento eseguito dalla Demorazza (e gli elenchi nelle questure, continuamente aggiornati, si riveleranno poi molto utili alle SS di Theodor Dannecker che dopo l'8 settembre del 1943 avranno l'incarico di stanarli e deportarli). Su una popolazione di 44 milioni, rappresentano all'incirca l'uno per mille. Se poi si considerano solo i 37 241 iscritti a una comunità ebraica, la percentuale scende ancora. Una esigua minoranza che si è perfettamente integrata nelle piccole e grandi città, in gran parte al centro-nord; e che una volta liberata dai vincoli che ne limitavano le attività prima dell'unificazione, si è affermata soprattutto nel commercio e nelle libere professioni. Non ci sono comunità agricole ebraiche, ma non c'è neanche una forte presenza ebraica nell'alta finanza. A Roma i primi insediamenti di ebrei risalgono addirittura all'epoca pre-cristiana e nel ghetto compreso fra il Lungotevere e il Portico d'Ottavia dove fino al 1848 i cancelli venivano chiusi alla sera, abitano in maggioranza famiglie che sopravvivono con il commercio al minuto. Se si escludono alcuni negozi lunghi e polverosi come labirinti, la maggior parte sono piccole botteghe che si sono fatte una loro clientela per la buona qualità della merce e il giusto prezzo.

E che siano intellettuali o commercianti, liberi professionisti o imprenditori, che vivano a Roma o disseminati lungo la penisola, quasi tutti hanno cercato

di dimostrare il loro patriottismo combattendo valo-
rosamente nella prima guerra mondiale e facendosi
stimare come funzionari nella pubblica amministra-
zione. Hanno preso parte attiva alla vita politica; un
discreto numero ha perfino aderito al fascismo. Non
hanno mai fatto proselitismo perché la loro religione
non lo richiede, e particolare abbastanza insolito, pochi conoscono ancora l'ebraico, se non quello richiesto per le letture religiose, e non parlano l'yiddish ma
i dialetti locali. Le loro cerimonie, con rituali che si
tramandano da secoli, sono molto discrete per non
dare nell'occhio e allarmare lo sguardo sempre vigile
e sospettoso della Chiesa nei confronti di chi «si osti-
na a non convertirsi». Una Chiesa apostolica romana che dopo il Concordato del 1929 è tornata a sentirsi forte e nella lettura della Passione della Settimana Santa, tra le navate oscurate dai drappi viola,
recita ancora a gran voce che il popolo giudaico tutto ha chiesto la crocefissione del Redentore. A di-
spetto dello scambio con Barabba. «Barabba, Ba-
rabbbaaa!» avevano gridato in coro, preferendo la liberazione di un assassino a quella di Cristo. E di
fronte a Pilato che si lavava le mani di quel delitto,
avevano ancora gridato «Che il suo sangue ricada su
di noi e sui nostri figli!»

I Regi Decreti Legge riguardanti la razza vengono
approvati dal Gran Consiglio del fascismo la notte
fra il 6 e il 7 ottobre 1938, e ratificati dal consiglio
dei Ministri il 10 novembre. Resi pubblici il 19; con
decorrenza immediata. Una riunione, quella del 6 ottobre, che è durata dalle dieci di sera alle tre del mattino e ha finito per trovare tutti d'accordo a ecce-

zione di De Bono, Federzoni e Balbo. Italo Balbo in particolare si è opposto con la veemenza che gli è propria, e la discussione è stata molto accesa (morirà, Balbo, nel 1940, nei primi giorni di guerra, durante un volo di ricognizione; e la sua morte resterà per sempre un mistero).

Il primo di questi decreti stabilisce i criteri di *appartenenza alla razza ariana* e quali provvedimenti verranno adottati nei confronti dei *non ariani* (intendi gli ebrei). Viene dichiarato ebreo: *Chi ha entrambi i genitori ebrei, anche se pratica una religione diversa. Chi ha un solo genitore ebreo e l'altro di nazionalità straniera* (non dimentichiamo che si tratta della difesa della «razza romano-italica»). *Chi ha un solo genitore ebreo ma pratica la religione ebraica.* Viene inoltre stabilito che l'appartenenza alla *razza ebraica* deve essere denunciata per venire iscritta nei registri dello stato civile.

Fra gli *appartenenti alla razza ebraica* verranno poi elencate alcune categorie che potranno essere esentate dall'applicazione delle suddette leggi per meriti eccezionali: *Famiglie di caduti in guerra. Di volontari di guerra. Di decorati di croce di guerra. Di caduti per la causa fascista. Di fascisti degli anni 1919-22 e secondo semestre del 1924. Di legionari fiumani.*

Secondo le rilevazioni provvisorie del censimento segreto, le famiglie che potrebbero beneficiare dell'esenzione sono 3502 (le domande saranno poi 8171, di queste fino al 1943 ne saranno analizzate 5870, e accolte 2486 per un totale di 6994 persone, con un irrigidimento progressivo).

L'elenco dei divieti alle *persone dichiarate di razza ebraica* è lungo. Una prima serie riguarda la scuola e la cultura in genere: *È vietato l'insegnamento in qualsiasi scuola di ordine e grado del Regno, frequentata da alunni italiani*. *È vietato essere membri delle Accademie, degli Istituti e delle Associazioni di scienze, lettere e arti*. *È vietato iscriversi o frequentare le scuole di ogni ordine e grado frequentate da alunni italiani* (in via transitoria viene concesso agli studenti ebrei già iscritti all'Università di arrivare al conseguimento della laurea, ma solo se gli alunni non sono, o non andranno fuori corso).

Una seconda serie di divieti vede al primo posto la «purezza» del partito: *È vietato essere iscritti al Partito Nazionale Fascista*. L'esercito è invece al quarto posto: *È vietato prestare servizio militare in pace e in guerra*. Segue la proprietà: *È vietato essere proprietari o gestori di aziende interessanti la difesa della Nazione o di imprese con più di cento operai*. *È vietato essere proprietari di terreni di un valore superiore alle cinquemila lire e di fabbricati urbani di valore complessivo oltre le ventimila lire*. *È vietato, infine, avere alle proprie dipendenze domestici di razza ariana*.

Nell'ultimo Regio decreto, datato 17 novembre, viene perfezionata l'opera. Questa volta il divieto riguarda i restanti 44 milioni abitanti la penisola: *È vietato al cittadino italiano di razza ariana il matrimonio con persona appartenente ad altra razza, pena l'annullamento*. *Tali matrimoni sono da considerarsi nulli* (resterà questo il motivo di maggiore contrasto con il Vaticano).

L'ultimo decreto è una specie di «summa» dei precedenti. Estromette infatti gli ebrei: *Dalle amministrazioni Civili e Militari dello Stato*. *Dalle amministrazioni delle Provincie, dei Comuni, degli Enti, Istituti e Aziende, comprese quelle dei Trasporti e delle*

Aziende municipalizzate. Dalle amministrazioni degli Enti parastatali, delle Banche di interesse nazionale e delle Imprese private di Assicurazione.

Viene inoltre vietata nelle scuole l'adozione di libri di testo di autori ebrei; il divieto si estende anche ai libri che sono frutto di piú autori, dei quali uno ebreo.

Una serie di disposizioni darà in seguito il tocco finale proibendo agli ebrei di frequentare i luoghi di villeggiatura, di alloggiare negli alberghi, di inserire sui giornali avvisi pubblicitari o mortuari, di possedere apparecchi radio con piú di cinque valvole, di pubblicare libri, di collaborare alla stampa con pseudonimi, di tenere conferenze e di avere il proprio nome sull'elenco telefonico.

In pratica 48 032 italiani di religione o di famiglia ebraica, che nel mese di ottobre erano ancora cittadini a pieno diritto, a novembre si ritrovano trasformati in «persone di razza ebraica» e come tali, oltre che schedati, privati di quello «status» garantito a tutti i loro connazionali; e infine spogliati di gran parte dei loro beni. Per molti, la maggioranza, sarà anche la perdita del lavoro; e per tutti quella del diritto allo studio.

Isolati dal resto della popolazione queste 48 000 «persone» si ritrovano da un giorno all'altro alla mercé della benevolenza dei loro ex concittadini che non di rado cederanno alla tentazione di approfittarne. Nell'arco di un mese, senza alcuna colpa, sono diventati merce di scambio con il glorioso alleato tedesco, pilastro centrale dell'asse Roma-Berlino.

Tutti vengono poi sollecitati a lasciare l'Italia. In

questo senso si cerca di elaborare un decreto che per-
metta agli ebrei di portarsi via entro il primo anno
otto decimi dei loro beni; ma dopo il quinto anno, se
ancora non si saranno decisi ad andarsene, saranno
solo i tre decimi a poter espatriare con loro. E se in-
sisteranno ancora a restare dovranno pagare una so-
vraimposta in piú del dieci per cento il primo anno,
e del cento per cento il quinto anno. E dopo cinque
anni saranno espulsi, e i loro beni confiscati, e loro
confinati in colonie di lavoro...

Ma questi provvedimenti non verranno mai messi in pratica per ragioni economiche, troppo gravoso
in un momento cruciale come il '39 rinunciare anche
a una piccola parte del patrimonio nazionale, e poi
come espatriare se non si possiede piú il passaporto?
Questo verrà restituito ai piú giovani per breve tempo; e quelli dotati di intraprendenza e coraggio, pronti a cominciare da capo senza una lira in tasca, parti-
ranno. O quanti, piú previdenti, hanno già trasferito all'estero parte dei loro beni. In seguito, con
l'inizio della guerra, espatriare diverrà quasi impossibile per la scarsa, se non nulla, disponibilità dei paesi esteri ad accogliere profughi senza mezzi di sussistenza, e per i provvedimenti sempre piú restrittivi
nei loro confronti da parte della Pubblica Sicurezza.

Come conseguenza immediata dei decreti razziali
la famiglia Treves di Milano, proprietaria di una casa editrice attiva fin dal 1861, che ha pubblicato Ver-
ga, D'Annunzio, Pirandello, e attualmente stampa
«L'Illustrazione Italiana», è costretta a svendere la
propria azienda. La compra un industriale, Aldo Gar-

zanti, che ha l'esclusiva per l'Italia dei prodotti chimici della Dupont de Nemours.

Non diverso è il destino dell'editore Bemporad di Firenze dai grandi meriti in campo scolastico, con un catalogo dove all'opera di Dante si affiancano quelle degli autori piú significativi del Novecento. A lui tocca come acquirente Marzocco. Piú drammatico è il caso dell'editore Formíggini di Modena. Formíggini appartiene a una famiglia ebraica in Italia da piú di trecento anni che per il suo dinamismo imprenditoriale e culturale era già stata esentata dai Papi dalle limitazioni imposte agli israeliti in territorio pontificio. Angelo Fortunato Formíggini è fra l'altro l'editore dei «Classici del ridere» e delle «Apologie», testi sulle diverse religioni tradotti in piú lingue. Nel 1918 ha fondato l'Istituto Leonardo per la diffusione della cultura italiana e nel 1928 ha avuto per primo l'idea del «Chi è?» italiano, gemello del «Who's who?» americano. A Roma, a palazzo Doria, ha istituito una biblioteca di 30 000 volumi. Dopo un inutile tentativo di sottrarsi a una legislazione che lo priva da un giorno all'altro di quanto ha appassionatamente creato, il 29 novembre, per «dimostrare l'assurdità malvagia dei provvedimenti razzisti» si uccide buttandosi dalla torre Ghirlandina di Modena.

Aveva sessant'anni. Nella lettera lasciata alla moglie spiega le ragioni che lo hanno portato a un gesto tanto estremo, impotente di fronte all'insensatezza di leggi emanate da un gruppo di gerarchi ossequienti, quando non ignoranti, con l'avallo di un gruppo scelto di studiosi, servili al punto di calpestare qualsiasi etica professionale.

Per non dimenticare il beneplacito di Sua Maestà Vittorio Emanuele III, Re d'Italia e Imperatore d'Etiopia, la cui firma compare, come si dice, in calce ai decreti.

L'anno successivo, il 29 giugno, un nuovo decreto vieterà agli ebrei la professione di notaio e quella di giornalista. E per quanto riguarda i medici, i farmacisti, i veterinari, gli ostetrici, gli avvocati, i procuratori, i ragionieri, gli architetti, i chimici, gli agronomi, i geometri, i periti agrari e i periti industriali, tutti vengono cancellati dai rispettivi albi professionali e esclusi dalle associazioni sindacali di categoria e dall'esercizio della professione «a favore degli ariani». Potranno esercitare solo fra loro. E tra ariani e semiti viene proibita qualsiasi forma di associazione o collaborazione.

Anche il nuovo Codice Civile si adegua e il 1º luglio, all'articolo 1, decreta: «La capacità giuridica si acquista al momento della nascita. Le limitazioni alla capacità giuridica derivanti dall'appartenenza a determinate razze sono stabilite da leggi speciali». Il 13, sempre di luglio, la legge 1024, prospetterà infine la figura dell'«arianizzato». Sarà colui che il Tribunale della Razza, su richiesta del Ministero degli Interni, riconoscerà «non appartenente alla razza ebraica» anche in barba alle risultanze degli atti dello stato civile. Una legge che si fonderà sull'arbitrio piú assoluto, grottesca e tragica insieme, che andrà a vantaggio di un gruppetto di funzionari corrotti e di un gran numero di persone che sull'immoralità dei corrotti costruiranno la loro fortuna. L'«arianizzazione» finirà per avere a Roma un vero e proprio mercato con un prezzo variante dalle 500 000 lire ai 2 000 000.

All'Istituto Massimo dove mio fratello frequenta la seconda ginnasio, il giorno dopo l'entrata in vigore delle leggi che escludono gli alunni di «razza ebraica» da tutte le scuole pubbliche del Regno, l'insegnante di lettere si congratula pubblicamente in classe con l'allievo Mario Farinacci, nipote del piú famoso Roberto. È stato infatti quest'ultimo uno dei propugnatori piú accaniti delle nuove disposizioni. Non si preoccupa molto, il professor Giordano, se seduti nei banchi della sua classe ci sono anche due alunni di «razza ebraica», prime vittime di quelle leggi. Due Volljuden di fresca conversione.

Mentre in Italia gli ebrei perdono il diritto al lavoro insieme a quello allo studio, in Germania squadre poco numerose e perfettamente organizzate prendono come pretesto l'assassinio a Parigi del consigliere d'ambasciata von Rath «compiuto da mano israelita», per saccheggiare nella notte fra il 9 e il 10 novembre i negozi degli ebrei e incendiare le sinagoghe. Alcune donne sono violentate. È la notte che per il fragore delle vetrine andate in frantumi verrà chiamata la «Kristallnacht»; e il giorno dopo gli ebrei sono costretti a ripulire le strade dai resti del saccheggio e dai vetri rotti. 267 sono le sinagoghe devastate e date alle fiamme, 7400 i negozi saccheggiati o distrutti, un centinaio i morti e moltissimi i feriti. Circa 30 000 ebrei vengono arrestati e 11 000 mandati a Dachau, 10 000 a Buchenwald. In Austria non va meglio, 42 sono le sinagoghe distrutte e 27 gli ebrei uccisi, 6500 vengono deportati a Dachau. Alla comunità israelitica del Reich viene inoltre imposto di pagare un'ammenda di un miliardo di marchi. A tutti gli ebrei è da questo momento proibito frequentare gli alberghi, i locali pubblici, i teatri e i cinema e alcuni quartieri delle città.

Ma nonostante lo sgomento che la violenza provoca in Europa e negli Stati Uniti, la politica di immigrazione per quanto riguarda gli ebrei non viene modificata. Neanche la Chiesa tedesca fa alcuna protesta ufficiale. L'unica voce autorevole che si leva in difesa dei perseguitati è quella del Vicario generale della cattedrale di Santa Hedwige a Berlino, Bernard Lichtenberg (lo ritroveremo questo prete coraggioso). La sera del 10 novembre, invitando dal pulpito i suoi parrocchiani a pregare per gli ebrei, avverte: «Quello che è successo ieri lo sappiamo, quello che succederà domani non lo sappiamo ancora; ma di quello che accade oggi ne siamo testimoni: qui accanto la sinagoga è in fiamme, ed è ugualmente una casa di Dio».

A Londra l'arcivescovo di Westminster chiede l'adesione formale del Papa a una riunione che si terrà a Londra per chiedere assistenza e aiuto in favore di quanti sono perseguitati per motivi razziali e religiosi, e invita il Papa a unirsi a una dichiarazione pubblica per affermare che in Cristo non esistono discriminazioni di razze e la grande famiglia umana deve restare unita. All'arrivo della richiesta, Pacelli, che è Segretario di Stato, annota: «Se la cosa avesse carattere essenzialmente privato sarebbe piú facile, d'altra parte bisogna evitare di dare l'impressione di avere paura di ciò che non si deve temere». La risposta elaborata per declinare l'invito è comunque un piccolo capolavoro di diplomazia: «Il Santo Padre ha al momento tante preoccupazioni, non soltanto per la sua salute, ma per le tante questioni di cui si deve fare carico, che non potendo occuparsi personalmente del Messaggio richiesto, incarica Sua Eminenza di ritenersi sicuro di interpretare il Suo Augusto pensiero affermando che il Pontefice Romano vede con occhio umano e cristiano tutte le opere di carità e di assistenza a profitto di quanti ingiustamente sono nell'afflizione e nella sofferenza».

Neanche due mesi dopo padre Agostino Gemelli, rettore dell'Università cattolica di Milano e direttore della rivista «Vita e pensiero», è chiamato all'Università di Bologna per commemorare la figura di Guglielmo da Saliceto. È il 9 gennaio del '39 e di fronte alla platea di studenti e di professori che lo segue attenta, esprime il suo pensiero sugli ebrei: «Tragica senza dubbio, e dolorosa, la situazione di coloro che non possono far parte, e per il loro sangue e per la loro religione, di questa magnifica patria; tragica situazione in cui vediamo, una volta di piú, come molte altre nei secoli, attuarsi quella terribile sentenza che il popolo deicida ha chiesto su di sé e per la quale va ramingo per il mondo, incapace di trovare la pace di una patria, mentre le conseguenze dell'orribile delitto lo perseguitano ovunque e in ogni tempo».

Padre Gemelli, di cui porta il nome la piazza dove ha sede l'Università Cattolica di Milano e il Policlinico Gemelli di Roma, non è nuovo a questo genere di interventi. Nel 1924 in riferimento al suicidio di Felice Momigliano, era cosí intervenuto sul numero del 5 agosto di «Vita e pensiero»: «Un ebreo, professore di scuole medie, gran filosofo, grande socialista, Felice Momigliano, è morto suicida. I giornalisti senza spina dorsale hanno scritto necrologi piagnucolosi. Qualcuno ha accennato che era rettore dell'Università Mazziniana... Ma se insieme con il Positivismo, il Socialismo, il Libero Pensiero e con il Momigliano morissero i Giudei che continuano l'opera dei Giudei che hanno crocefisso Nostro Signore, non è vero che al mondo si starebbe meglio? Sarebbe una liberazione ancora piú completa se, prima di morire, pentiti, domandassero l'acqua del Battesimo...»

Il 19 gennaio 1939 anche il cardinale Piazza si sente in dovere di intervenire sull'«Osservatore Romano» dilungandosi sul deicidio e sulla Chiesa che ha dovuto «difendersi, come i suoi fedeli, dai pericolosi contatti e dall'invadenza degli ebrei, che sembra essere in verità la nota ereditaria di questo popolo».

Nelle mie giornate nulla è cambiato: i mobili azzurri della mia camera, il quadro dei bambini che pattinano, il lampadario di legno a forma di giostra, non hanno un granello di polvere in piú. E se al professore Luzzatti è stato proibito di poggiare il suo orecchio irsuto sulla mia schiena calda di febbre, è l'orecchio appena unto, morbido e tiepido del professor Vannuttelli ad ascoltare i miei bronchi e a decidere se ho bisogno degli impiastri di semi di lino. Italia passa la galera a lucidare il parquet e se ci monto sopra mi fa scivolare su e giú per la stanza. Poi dice basta, adesso scendi che faccio troppa fatica. Il pomeriggio di uscita di Annemarie, è lei a portarmi a giocare nei giardinetti sul Lungotevere di fronte al Ministero della Marina. Si infila il cappotto sopra il grembiule e quando si china per mettermi la sciarpa sento l'odore di pollo della sua pelle. Mi piace. Letizia, la cuoca, invece non ha nulla che ci piaccia, le mancano dei denti davanti e i suoi piedi hanno le unghie contorte e verdastre, papà dice che è sporca ma una grande lavoratrice e una volta è stata capace di fare tredici crostate in un pomeriggio. Il ragazzo che porta il ghiaccio arriva ogni mattina con un blocco avvolto in un sacco di iuta e lo spezza davanti a Letizia che poi lo mette nella ghiacciaia di legno foderata di zinco. Niente ci viene chiesto e niente ci vie-

ne detto di quelle leggi che per quasi cinquantamila
ebrei stanno per rappresentare l'inizio di una catastrofe. Neanche la domenica sera quando viene a cena lo zio Nino e abbiamo il permesso di stare a ta-
vola con i grandi. Lo zio Nino fa il magistrato e Italia lo chiama Eccellenza. È il mio padrino e mi ha
tenuto a battesimo a San Pietro in coppia con la signora Basile. Anche se a lui piacciono solo le donne
belle e allegre come la mamma.

Non so cosa avvenga nell'appartamento di fronte
dove ogni tanto intravedo quel neonato diventato
una palla cicciottella che ficca la testa tra una colon-
nina e l'altra della balaustra del balcone. E adesso che
frequento le elementari Annemarie non mi porta piú
la mattina a Valle Giulia, cosí non so piú nulla della
bambina dalla stella d'oro. Se porta ancora le mutandine Petit bateau e gioca con quella bella paletta
colorata.

Niente in quell'inverno del 1939 viene a turbare
l'ordine di via Flaminia dove il droghiere si chiama
Garibaldi e il fornaio Cantiani; né durante l'inverno
e la primavera che seguono, quando mi sporgo dal
balcone per vedere il tram che gira l'angolo diretto
allo stadio con le piccole italiane festose affacciate ai
finestrini, bianche e nere. Le invidio le «rondinelle»,
come le chiama con voce enfatica la maestra. Dovranno accadere cose terribili perché io torni a visitare quel tempo e guardi nel pozzo dove la signora
Della Seta, i Levi, quel bambino che vedo trotterel-
lare tra una finestra e l'altra, stanno scivolando giú
senza che ne arrivi il minimo fruscio. Neanche mi sono accorta che Giorgio Levi ha smesso di suonare alla porta per andare con mio fratello a giocare a pallone; sento invece nel pomeriggio gli interminabili

esercizi che esegue al pianoforte. Il padre, che era un alto funzionario dell'azienda elettrica, ha perso il posto e si arrangia con le traduzioni dall'inglese di testi di ingegneria. Ogni tanto qualche amico gli affida da vendere un quadro dell'Ottocento napoletano di cui lo ritiene un esperto; e salgo con lui in ascensore. È un uomo alto e magro, il quadro avvolto nella carta e legato con uno spago gli pende dalla mano, in testa porta il cappello e non posso sapere se è vero che è calvo come dice Italia. I capelli, dice ancora Italia, li ha persi tutti per via del casco e del sudore durante la guerra di Libia.

Fino a quelle urla nell'androne: il contendere è l'ascensore. La portiera Elsa è appena sbucata dalla porticina ai piedi delle scale, e urla. Suo marito, Domenico, non c'è, la guardiola è vuota. Ha occhi azzurro scuro Elsa, limpidi e feroci, e si sta ancora asciugando nel grembiule le mani umide di bucato. Non l'ho mai sentita gridare cosí, la sua voce è acuta, aggressiva. Giorgio Levi è appena entrato reggendo la bicicletta e fermo sul pianerottolo aspetta l'ascensore. Lei gli urla che la bicicletta non può metterla nell'ascensore, e neanche nella guardiola o da qualsiasi altra parte, e ancora urla che comunque sarebbe meglio che l'ascensore, lui, non lo prendesse per niente, intanto perché non ne ha diritto, e poi perché glielo sporca sempre di fango. Senza parlare il ragazzo solleva allora la bicicletta e comincia faticosamente a salire le scale: vedo i suoi capelli ricci, i calzoni alla zuava. Elsa lo segue con lo sguardo finché non scompare, solo allora, rassicurata, se ne ritorna giú nel buio antro della sua casa con le finestre

a pelo del marciapiede. Anche se portiera, lei è ariana, e quello un miserabile giudeo.

Io e Italia siamo rimaste inchiodiate sul pianerottolo e appena l'ascensore arriva, mi infilo dentro.
Aspetto con ansia che Italia richiuda la porta e pre-
ma il bottone del nostro piano: il secondo. E mentre
Italia mi slaccia il paltò con il viso vicinissimo al mio,
mai il suo odore di pollo mi è sembrato più confortante, confortante e rassicurante la visione della sua
pelle pallida e porosa. Un balsamo il cigolio lamen-
toso dell'ascensore che allontana la paura, la incolla
alle spalle del «ragazzo dei Levi», e nel tonfo della
porta che si richiude la intrappola dentro insieme alla bicicletta portata su, gradino dopo gradino.

Quando la sera raccontiamo a casa quello che è
successo, papà si mostra indignato. La riprovazione
per Elsa è aspra mentre compiange i Levi, «bravissime persone, anche se ebree...», costrette a subirne le
prepotenze. Elsa non mi appare più come la solerte
guardiana della nostra sicurezza ma come una dela-
trice che dal suo antro spia e controlla ogni gesto,
ogni parola. L'indignazione di papà stinge poi sui fa-
scistissimi inquilini del piano alto, quel giovanotto
sempre in camicia nera, di sicuro un informatore
dell'Ovra. Fino a coinvolgere con mio grande scan-
dalo anche il Re, definito un «tanghero senza scru-
poli».

Ma la notte un dubbio arriva a stringermi le bu-
della: se i neonati vengono lasciati in un cesto fuori
la porta, chi mi può assicurare che mi abbiano lasciato
davanti alla porta giusta e non fossi destinata invece
a quella subito accanto, la porta dei Della Seta? Dei
Della Seta che sono ebrei, «anche se bravissime persone»? Come si fa a essere sicuri, veramente sicuri,

che non ci sia stato uno sbaglio e solo per errore sono stata lasciata davanti alla porta con la targhetta di
ottone appena bombata che Italia lucida ogni sabato
pomeriggio, su cui splende il nome di papà?

La conversa scalza l'erba cattiva intorno alle pian-
tine delle fragole e piange, le foglie della passiflora
tremano al gelo. Pio XI è morto e noi guardiamo verso San Pietro, la tramontana solleva il velo di madre
Gregoria e scopre sulla nuca dei corti capelli scuri,
lei ha gli occhi rotondi e sgomenti. Il Papa se ne è andato all'alba, senza un grido, senza un messaggio, come inghiottito dall'acqua; e le suore smarrite aspet-
tano invano un segnale dal cielo. Pregano inginoc-
chiate sui banchi di legno chiaro della cappella, i rossi
cuori trafitti sul petto e le cuffie inamidate a rac-
chiudere in un ostensorio il viso e le lacrime. Lunghe
nuvole minacciose si sfilacciano in cielo: su quelle nuvole viaggia la morte e neanche la Madonna celeste
di Lourdes può fermarla, chiusa in un cerchio tre-
mulo di candele. Anche noi dobbiamo pregare; e
quando scende il crepuscolo, nell'attesa di tornare a
casa, restiamo in silenzio davanti alla grande vetrata
verso la valle a guardare il trenino della Roma-nord
che taglia i campi incolti dove l'Aniene gira e rigira,
grigio-argento tra le sponde pallide di canneti.

Ma i Salve Regina e le Ave Marie, i versetti la-
mentosi dei salmi, non possono riportare in vita Pio
XI che ha le mani congiunte sulla mantellina di por-
pora orlata di ermellino e il viso di marmo, i piedi di-
varicati nelle scarpette di raso bianco che vacillano
appena quando lo depongono sul catafalco. Nel vento che trascina le nuvole oltre il Soratte strane voci

percorrono come un brivido il cielo, parole appena
sussurrate con timore devoto, con un leggero scuoti-
mento del capo, quasi un rimprovero per l'Angelo
della Morte piombato cosí fulmineo, un giorno appena dalla conferenza indetta per parlare ai vescovi
alla vigilia del decimo anniversario dei Patti Latera-
nensi. Le lacrime scivolano lungo le guance a bagna-
re il fazzoletto di madre Cecilia, una «cardiopatia»
lei dice con quella erre rotonda e liquida di francese,
una «cardiopatia»... e il nome suona irto di punte e
di interrogativi mentre la mano indica il petto dove
si annida il male, quel cuore trafitto che le si accen-
de rosso nella macchia del ricamo.

A lungo si ipotizzerà sul discorso mancato di Pio
XI. L'unica cosa certa è la presenza di alcuni fogli sul
suo tavolo la notte del 10 febbraio, e il loro dissol-
versi la mattina seguente. Fino al loro riapparire nel
1959, quando Giovanni XXIII appena eletto renderà
pubblico il testo di alcuni appunti. Perché altro non
esiste. Scritti da una mano che cede allo sfinimento,
le ultime parole diventano indecifrabili come un sen-
tiero che si perda nella foresta. Doveva essere un discorso non da poco: per la prima volta, da quando era
diventato Papa nel 1922, Pio XI aveva convocato tutti i vescovi insieme. È difficile oggi ipotizzare quali
sarebbero state le parole scelte per denunciare l'in-
famia che insieme agli innocenti uccideva ogni cri-
stiana pietà. I pochi appunti riemersi dopo 21 anni
sembrano riguardare in maggioranza i seminari e la
formazione dei preti, e soltanto il paragrafo finale affronta, con un'impennata di tono, il tema piú bruciante «... una stampa che può tutto dire contro di

Noi e contro le cose Nostre, anche ricordando ed interpretando in falso e perverso senso la storia vicina e lontana della Chiesa, fino alla pertinace negazione di ogni persecuzione in Germania, negazione accompagnata alla falsa e calunniosa accusa di politica, come la persecuzione di Nerone s'accompagnava all'accusa dell'incendio di Roma...»; poi la scrittura si fa incomprensibile, le sillabe si distorcono, la mano non riesce piú a reggere la penna.

Le ultime parole che arrivano fino a noi in quell'inverno del '39 sono ancora quelle pronunciate nel discorso ai cardinali alla vigilia di Natale, quando Pio XI aveva definito la svastica «croce nemica della croce di Cristo».

La mattina dopo era Natale. In ginocchio intorno alla radio, la mamma, papà, Letizia, Italia, Annemarie, noi bambine, lo avevamo ascoltato in silenzio impartire la benedizione Urbi et Orbi. Una voce ancora ferma nonostante l'età, vicinissima e chiara, le sillabe scandite una per una come se la formula latina avesse dovuto contenere nella sua ritualità l'annuncio della Sibilla. Dove è possibile la vita, e nello stesso tempo la morte.

Un Papa non facile da intimidire; un vero uomo, un osso impossibile da masticare in quel febbraio del '39 per chi ha deciso di correre a fianco dell'assassino dal lungo cappotto alle caviglie e la voce piena di odio. Nell'ultima udienza concessa al primo ministro inglese Chamberlain in visita insieme a Lord Halifax, Pio XI aveva ancora espresso con chiarezza quello che pensava dei regimi reazionari e dei doveri della democrazia, delle persecuzioni razziali e delle urgenti necessità di aiutare i profughi. E indicando i ritratti di Tommaso Moro e del cardinale Fisher aveva aggiunto: «Mi siedo qui e penso agli inglesi e mi compiaccio di pensare che costoro rappresentassero il meglio della loro gente con il loro coraggio, la loro decisione, la loro prontezza a combattere, a morire se necessario, per ciò che ritenevano giusto...»

Tra i medici addetti alla sua salute fa uno strano effetto ritrovare quella mattina del 10 febbraio il nome del professor Francesco Petacci, padre della piú famosa Claretta che tanto posto occupa nel cuore del nostro Duce. Una famiglia, quella dei Petacci, molto nota da qualche tempo e che grazie ai favori di cui gode può concedersi una villa di stile hollywoodiano sulle pendici di Monte Mario nella verde periferia romana, dove Mussolini è di casa. Ma questo non vuole ancora dire niente. Pio XI aveva ottantadue anni, una età venerabile, e il giorno scelto per parlare ai vescovi era anche l'anniversario della sua incoronazione avvenuta diciassette anni prima. E quando alle quattro e mezza della vigilia, nel buio ancora della notte, la Radio vaticana aveva messo improvvisamente in allarme il mondo: il Papa ha avuto un malore, nessuno si era stupito piú di tanto. In realtà Pio XI era già morto; ma solo alle cinque e un quarto, mentre l'alba ridisegnava livida i contorni di una città ancora immersa nel sonno, una voce priva di intonazione, grave, lenta, adatta alla solennità dell'avvenimento, aveva dato l'annuncio: Pio XI non è piú di questo mondo. Tutto si è compiuto. Tra i primi tram che uscivano sferragliando dal deposito, i garzoni dei lattai che caricavano il cestello delle bottiglie del latte rompendo rumorosamente la tregua del sonno: 10 febbraio 1939.

E Mussolini che il 14 dicembre, quando piú forte era stata la tensione con Pio XI, aveva manifestato a Ciano la sua insofferenza (e Ciano l'aveva diligentemente annotata sul diario: «Riferisco al Duce il colloquio con Pignatti [ambasciatore presso il Vaticano]. Ha uno scatto d'ira contro il Papa, del quale spera la morte a breve scadenza»), alla notizia di essere stato cosí prontamente esaudito, si lascia andare a esprimere la propria soddisfazione «Finalmente è morto, questo uomo dal collo rigido!»

Ma poi subito dopo, non sono passati che pochi giorni, le suore sono in festa, i loro abiti bianchi svolazzano come colombe per quell'esile filo di fumo che appanna il cielo sopra San Pietro. *Habemus papam, habemus papam* esultano, e madre Cecilia stringe radiosa le mani a pugno, le sue guance sono due mele lucide di felicità. Perfino la superiora esce dal suo tabernacolo nella torretta, vecchissima avanza sulla ghiaia del giardino per abbracciare ora madre Cecilia, ora madre Enrichetta e madre Gregoria, le piccole dita grinzose che si appoggiano come insetti sul bianco dei vestiti.

È stato eletto col nome di Pio XII, dopo un solo giorno di conclave, il cardinale Segretario di Stato Eugenio Pacelli, romano, di famiglia nobile di origine viterbese molto legata alla Curia. Suo cugino è Ernesto Pacelli che per lungo tempo ha svolto la funzione di amministratore delegato del Banco di Roma, Istituto che sovraintende alle finanze del Vaticano. Il nuovo Papa è stato Nunzio in Germania dal 1917 al 1929, in Baviera fino al 1920 e dopo a Berlino. E proprio in Baviera, nel 1919, si è trovato presente ai combattimenti tra bolscevichi e truppe governative repubblicane quando alcuni spartakisti si sono rifugiati di forza nella Nunziatura, e alle proteste del

Nunzio lo hanno minacciato, pare, con la pistola.

Un avvenimento a cui Pio XII accennerà di rado, rimasto tuttavia cosí incancellabile da renderlo ancora nel 1937 totalmente sordo all'appello dei tre sacerdoti baschi venuti a Roma dopo il bombardamento di Guernica per consegnare a Pio XI una lettera del Vicario Generale della loro diocesi con la testimonianza di nove confratelli presenti al massacro della popolazione basca. (Quando padre Mancheca e padre Augustin Souci erano arrivati in aprile a Roma, Pacelli, che era allora Segretario di Stato, gli aveva fatto sapere attraverso monsignor Pizzardo che non era necessario che fossero ricevuti dal Papa poiché avevano una lettera, e che li avrebbe informati come, e quando, consegnare il loro appello. Ma per diversi giorni nessuno si era fatto vivo, finché una mattina, mentre padre Mancheca e padre Souci stavano pranzando in una piccola trattoria, era arrivato in gran fretta un messaggero del Vaticano avvisandoli che sarebbero stati ricevuti dal Segretario di Stato, a patto che l'incontro restasse segreto e non venisse accennata in nessun modo la ragione per cui erano venuti a Roma. Senza neanche finire di mangiare i due sacerdoti lo avevano seguito in Vaticano. Il futuro Pio XII li aveva ricevuti in piedi. Loro avevano accennato alla lettera per il Papa e immediatamente Pacelli, in tono gelido, li aveva messi alla porta: «La Chiesa è perseguitata a Barcellona» erano state le sue uniche parole).

Entra negli appartamenti papali per sovraintendere ai cibi e all'ordine delle stanze una robusta suora di Ebersberg, al servizio del nuovo Papa da quando era Nunzio in Baviera nel 1917; e destinata a restare con lui fino alla morte. Una donna volitiva e dispotica, devota fino al fanatismo, che il cardinale Tisserant chiamerà «la papessa». Chissà cosa pensa questa suor Pascalina Lehnert degli striscioni all'ingresso di Rosenheim, a pochi chilometri dalla sua città natale, che non vogliono il contagio degli ebrei. Piú di mio padre, il neo-eletto Pio XII ammira la laboriosità e le prodigiose doti di ordine del popolo chiuso tra il Reno e la Vistola, la disciplina della sua bionda gioventú. Ne ama la lingua e i costumi, tanto da arredare il suo appartamento in Vaticano solo con mobili di mogano tedeschi, opera di artigiani tedeschi. Al muro un grande quadro a olio di scuola tedesca e per mangiare piatti e bicchieri di porcellana e di cristallo tedeschi, posate d'argento di fabbricazione tedesca. In tedesco devono parlare con lui le tre suore addette alla sua persona. Ama anche gli uccellini il nuovo Papa, e una coppia di canarini che rispondono al nome di Hänsel e Gretel gli fanno compagnia mentre mangia e lavora. Gretel, chiamata affettuosamente Gretschen, è completamente bianca e sceglie sempre di posarsi sulle sue carte.

È stato lui, l'allora Segretario di Stato, a portare avanti le trattative per firmare nel luglio del 1933 il Concordato fra la Chiesa e il Reich hitleriano «nel tentativo di salvare per l'incerto futuro i concordati, estendendoli nel territorio e nel contenuto» si sarebbe giustificato in seguito (Pio XII, 19 luglio 1947). E il primo diplomatico a essere ricevuto dal nuovo Papa è l'ambasciatore tedesco Diego von Bergen, mentre una sua lettera personale informa Hitler della felice conclusione del conclave. Anche Mussolini, il 2 marzo, appena la fumata bianca si alza esile in cielo sopra la cupola di San Pietro, si affretta a congratularsi con il collega-camerata Hitler per l'elezione dell'ex Nunzio a Berlino.

Nuovo Segretario di Stato diventa il cardinale Luigi Maglione che su ordine di Pio XII dà istruzione all'«Osservatore Romano» di evitare da ora in avanti commenti anti-tedeschi. Contemporaneamente spariscono dai giornali tedeschi gli attacchi al Vaticano.

È quindi nel giubilo pressoché generale che il 12 marzo le trombe d'argento annunciano la vestizione del nuovo Papa e la *coronam auream* scende lentamente *super caput eius*. Nell'immensa navata della basilica di San Pietro si levano le melodie celesti di vergini e cantori bambini mentre il corpo diplomatico al completo allinea i suoi colori accanto alle porpore dei cardinali e una folla emozionata si accalca dietro le transenne in piazza San Pietro. Dopo per Roma sciamano frotte festose di preti del Collegio Germanico, sono giovani e vestono di rosso con un'alta cintura nera in vita. Gli stessi colori della bandiera del Reich che sventola molle dai pennoni in questa ultima stagione di pace.

Ci vorranno 33 anni perché si possa sapere almeno in parte quale era la volontà di Pio XI e cosa probabilmente aveva intenzione di dire ai vescovi quell'11 febbraio del 1939. E ce ne vorranno 56, di anni, per arrivare a conoscere il testo dell'enciclica *Humani Generis Unitas* preparata dietro sua richiesta da un gesuita franco-americano.

John LaFarge, imparentato per parte di madre con Beniamino Franklin, è nel 1938 un giovane sacerdo-

te che negli Stati Uniti si è occupato del problema
dei negri e del razzismo, in particolare nel Maryland
dove è stato fino al 1926. Nel 1937 ha pubblicato *Interracial Justice*, un libro che lo ha consacrato cam-
pione cattolico per la lotta della giustizia razziale nel
suo paese. Il 2 maggio è sbarcato in Inghilterra dal
piroscafo *Volendam* per effettuare alcune inchieste
sulla situazione in Europa, inviato dal settimanale
cattolico «America» di cui è redattore.

A Roma arriva il 5 giugno; e poco prima di ripar-
tire è invitato dal rettore dell'Università gregoriana,
padre Vincent McCormick, a partecipare a un'udienza generale a Castel Gandolfo. Qualche giorno dopo, mentre sta per mettersi in viaggio per la Spagna,
gli arriva un messaggio dal Vaticano: il Papa deside-
ra incontrarlo privatamente e gli fissa un appuntamento. Il 22 LaFarge è di nuovo a Castel Gandolfo.
Pio XI gli dice di aver letto *Interracial Justice* e di
averlo molto apprezzato: è quanto di meglio ha letto
in proposito, afferma. E nel momento in cui sta cercando una persona che si prenda carico del compito
che piú gli sta a cuore, è Dio a mandargli padre La-
Farge. Ogni giorno che passa gli sembra che razzismo e nazionalismo si confondano sempre piú insieme e il problema non fa che assillarlo. Padre LaFarge deve preparargli il progetto di un'enciclica sul
razzismo impegnandosi a mantenere il segreto piú assoluto. Si rende conto che per fare le cose corretta-
mente avrebbe dovuto prima avvertire il Padre Generale dei gesuiti, ma va bene anche cosí, dice. Gli
scriverà quel giorno stesso per informarlo e chieder-
gli di mettere a disposizione di LaFarge tutti i mezzi
indispensabili a portare a termine il progetto. E dopo avere esposto a grandi linee il tema, il metodo da

seguire e i principî da osservare, aggiunge: «dica semplicemente quello che direbbe se fosse lei il Papa».

Per il giovane gesuita è «come se gli crollasse la basilica di San Pietro sulla testa». Il 27 giugno, lunedí, incontra il Generale del suo ordine, il polacco padre Wladimir Ledochowski, che gli affianca due collaboratori: il gesuita tedesco Gustav Gundlach (l'autore dell'anonima chiacchierata alla Radio vaticana del marzo) e il gesuita francese Gustave Desbuquois, direttore a Parigi della rivista «L'Action Populaire». Restano d'accordo che una volta terminato il progetto, LaFarge porterà personalmente il manoscritto a padre Ledochowski che si incaricherà di consegnarlo a Pio XI. Il Padre Generale insiste sul segreto piú assoluto (insisterà ancora nei mesi seguenti, sembrandogli LaFarge troppo poco riservato).

I tre gesuiti si mettono subito al lavoro in Rue Monsieur a Parigi dove è la sede di «Etudes»; ma anche in periferia sud, a Vanves, dove ha sede l'«Action Populaire». A loro si aggiunge poco dopo un altro gesuita tedesco, padre Heinrich Bacht, che ha l'incarico di tradurre l'enciclica in latino. Nel caldo dell'estate, in meno di tre mesi, viene steso il testo nelle versioni inglese, francese e tedesca. Di queste versioni, una almeno, è intitolata *Humani Generis Unitas*. A settembre LaFarge parte per Roma per consegnare il progetto dell'enciclica a padre Ledochowski che ha l'incarico di inoltrarlo a Pio XI.

Ma all'eccitazione dell'inizio subentra per LaFarge e i suoi collaboratori, la delusione; e infine l'inquietudine. Padre Ledochowski sembra non avere nessuna particolare fretta e dice di avere affidato il documento a degli esperti. In realtà gli esperti sono uno solo: padre Enrico Rosa (il redattore della rivista

«La Civiltà Cattolica») a cui è stata consegnata la versione abbreviata del testo francese. Il 1° ottobre, due giorni dopo gli accordi di Monaco, e il giorno stesso in cui le truppe tedesche occupano il territorio dei Sudeti, LaFarge si imbarca sullo *Statendam* per rientrare negli Stati Uniti. Il 16, Gundlach, che è tornato a Roma, gli scrive perché LaFarge si rivolga direttamente a Pio XI. Nella lettera esprime il sospetto che padre Ledochowski cerchi di «sabotare, con un'azione dilatoria, per ragioni tattiche e diplomatiche» il loro lavoro. In questa lettera, come in quelle che seguiranno, né Pio XI né padre Ledochowski sono mai indicati con i loro nomi. Il Papa è *M. Fisher* (allusione all'anello «piscatorio») e Ledochowski qualche volta *le Chef*, piú spesso *l'Admodum*.

Ma LaFarge esita a scavalcare il proprio superiore. Il 18 novembre Gundlach torna alla carica informando LaFarge della sua crescente inquietudine. La salute del Papa scrive, si sta rapidamente deteriorando, e intorno a lui si è creata una stretta vigilanza «in modo tale che ormai non gli viene fatto pervenire che quello che gli altri permettono gli pervenga...» Il 26 novembre padre Enrico Rosa, malato da tempo, muore. Il febbraio successivo, quando muore Pio XI, LaFarge, Gundlach e Desbuquois, non sono neanche sicuri che il Papa abbia ricevuto il loro testo. Il 2 marzo di quel 1939, con l'elezione di Pio XII, le speranze dei tre gesuiti subiscono un tracollo. Alla fine di marzo padre Ledochowski li informa per la prima volta che il loro testo era stato consegnato a Pio XI alcuni giorni prima della sua morte, ma che il suo successore non ha avuto ancora tempo di leggerlo. In altre parole, l'enciclica muore ancora prima di essere nata.

Per il momento nessuno e nulla testimonia che Pio

XI ne abbia avuto sul suo tavolo il progetto, e se l'ha avuto che qualcuno lo abbia visto e accantonato dopo la sua morte. È come se quel testo si fosse inabissato in acque insondabili. I tre gesuiti tacciono, legati dal segreto pontificale.

Ma quando nell'ottobre di quello stesso anno Pio XII promulgherà la sua prima enciclica dal titolo *Summi pontificatus,* alcuni dei passaggi dove si deplorano le sofferenze che sono costretti a patire i cattolici polacchi, saranno interamente estrapolati dal progetto nato nell'estate del '38 a Parigi. Tutto quanto riguarda l'antisemitismo e gli ebrei sarà invece sparito; cosí anche qualsiasi accenno al nazismo o alla politica espansionistica di Hitler. Dell'*Humani Generis Unitas* non resta per il momento alcuna traccia.

Fino al dicembre 1972, quando la «National Catholic Reporter» inizia a pubblicare negli Stati Uniti alcuni estratti di un progetto per una enciclica di Pio XI contro l'antisemitismo. Degli estensori è ancora vivo solo padre Heinrich Bacht. Desbuquois è morto nel 1959 e Gundlach nel 1963. A novembre di quello stesso 1963 è morto anche LaFarge. Ed è stato proprio nel mettere in ordine gli archivi di LaFarge che nel 1967 un suo antico allievo, il gesuita americano Thomas Breslin, ha trovato dei frammenti della versione inglese dell'enciclica e l'ha microfilmata. È il documento di cui la «National Catholic Reporter» è entrata in possesso.

Ci vorranno ancora vent'anni di cocciuta e instancabile ricerca da parte di due storici, Georges Passelecq, un monaco benedettino, e Bernard Suchecky, un ebreo, storico delle scienze sociali e attualmente bibliotecario a Strasburgo, per conoscere almeno una delle versioni del progetto elaborato con tanto entusiasmo nel caldo dell'estate del 1938. E per ricostruirne la storia. Un lungo lavoro incominciato nel 1987 e durato fino al 1995. Anni passati a scontrarsi con continui rifiuti o rimandi, improvvise amnesie. Tentativi a vuoto di farsi aprire gli archivi dei gesuiti a Roma o quelli del Vaticano, fermi al 1922 alla morte di Benedetto XV.

L'encyclique cachée de Pio XI riporta in appendice l'unico testo attualmente rintracciato, quello francese, presumibilmente quello consegnato a padre Enrico Rosa, dal titolo *Humani Generis Unitas* (il testo in tedesco portava il nome di *Societatis Unio*). Circa cento pagine dattiloscritte suddivise in 176 brevi capitoli o paragrafi, i cui primi settanta sono di sicuro stati redatti e definitivamente corretti da padre Gundlach, riconoscibile per lo stile di chi ha maggiore familiarità con le questioni sociali e filosofiche. L'ultima parte, ricca di correzioni, di aggiunte e di annotazioni, che riguarda piú direttamente gli ebrei e l'antisemitismo, piú pragmatica e diretta, è con tutta probabilità quella a cui si è dedicato LaFarge e che ha piú subito interventi (padre Rosa? lo stesso LaFarge?).

Oggi nessuno è in grado di dire quanto, e come, l'*Humani Generis Unitas* avrebbe potuto mutare il destino di milioni di ebrei. Sicuramente avrebbe imposto un problema non eludibile alla coscienza dei circa cento milioni di cattolici europei.

Il 15 marzo 1939 le truppe tedesche hanno intanto varcato i confini di quanto è rimasto della Cecoslovacchia. Quella della Boemia e della Moravia è ancora un'invasione pacifica. Ma il 1° settembre, quando le armate tedesche entrano in Polonia, è la guerra. Non per l'Italia; non per adesso. Stiamo per vivere gli ultimi nove mesi di pace.

Stipati nell'Astura noi ci trasferiamo da Ortisei alla nostra casa di Mirabello, nel Monferrato. Lungo la strada ci fermiamo a mangiare a Brescia; ed è nella piazza deserta e assolata, all'ombra del tendone arancione di un ristorante, che la voce dall'altoparlante irrompe a un tratto come un fiotto nero. È la voce di Hitler? Non lo so, so soltanto che in quel giorno e in quell'istante la voce che significa guerra cancella ogni altro suono, è una voce improvvisamente buia, afona e sinistra alle mie orecchie infantili. Come se di colpo fossi adulta, e solo per l'attimo in cui quelle parole rimbombano tra i tavolini semideserti nell'odore delle tovaglie. Non sono piú la bambina con il cucchiaio immerso nella minestra tiepida, sono lo sguardo del cameriere rimasto attonito con il piatto in mano. Il pallore improvviso della padrona seduta alla cassa. Francesco, il nostro autista, solo a un tavolo poco distante, che si è bloccato con la forchetta da cui scivolano giú alcuni spaghetti. Francesco che nella prima guerra mondiale ha avuto una gamba spezzata, e con quella gamba rotta ha dovuto trascinarsi per quattro chilometri durante la ritirata di Caporetto.

Dopo insieme alla mamma ho attraversato la piazza sotto il sole dove pochi giornali pendono molli all'edicola, e con lei sono entrata in un negozio di stoffe, l'ho guardata scegliere una pezza dopo l'altra: quella a quadretti rossi e blu e quella con i fiorellini fitti simile a una siepe, quella con i colibrí azzurri. Metri e metri che lei, madre previdente e accorta, si fa srotolare sul bancone e poi tagliare con la forbice che intacca l'orlo subito seguito da uno strappo lun-

go, quasi un sibilo in quel pigro pomeriggio di estate
con le mosche sul legno del bancone. E dopo abbiamo comprato le scarpe, ma le scarpe è piú difficile,
come si fa a sapere quanto cresceranno i piedi dei
bambini. Per me è già ricominciato il gioco; quella
voce sinistra e buia, stridula nella penombra del ristorante, si è inabissata come un fiume carsico e mi
diverto a infilare una scarpa dopo l'altra fra quelle
sparse in terra tra le scatole aperte.

Anche se quelle scarpe di cui il commesso va elo-
giando la solidità per ora non mi riguardano: io sarò
quella che erediterà, erediterà sempre tutto dalle sorelle maggiori. Vestiti, paltò, orrende gonne di lana
pelosa. Fino alla fine della guerra.

Nell'Istituto di corso d'Italia dove vado a scuola l'autunno successivo (mia sorella maggiore è entrata in prima ginnasio e questo ha comportato per tutte e tre il passaggio a un Istituto parificato), le suore sono in maggioranza italiane ma hanno piú spesso nomi francesi e le stagioni si susseguono in un interminabile rituale di preghiere e «fioretti». Cosí li chiamano le suore per togliere un poco dell'amaro alle rinunce che dobbiamo fare. Loro vestono di viola e hanno al dito un sottile cerchio d'oro con una croce che testimonia l'avvenuto matrimonio con Cristo. Un cerchietto che picchia metallico sulla ringhiera per richiamarci all'ordine lungo le scale. Le nostre divise sono blu, i calzettoni grigi e le scarpe nere. Per la cappella abbiamo dei veli di organza bianca fermati sotto la nuca da un elastico. Quando non sono sulla nostra testa quei veli vanno ripiegati dentro una busta di cartone marmorizzato contrassegnata da un numero. A me viene dato il 256. Il 256 è sul grembiule e su quanto apparentemente mi appartiene: portatovagliolo, tovagliolo, fazzoletti da naso; un 256 destinato a seguirmi come un cane fedele per tutti i restanti undici anni di scuola. Varco il grande cancello di ferro alle otto e venti della mattina e ne esco alla sei di sera. Qualche volta, quando sbuchiamo dal portone di casa, è ancora buio, e buio la sera quando rientriamo. Nella breve parentesi subito dopo mangiato ci è permesso scatenarci in quello che dovrebbe essere un giardino ma è solo un cuneo di terra simile alla prua di una nave fra corso d'Italia e via di Porta Pinciana. Oltre gli allori e i bossi c'è un solo albero. Bellissimo, con una miriade di foglie minuscole: un albero del pepe. Il resto è polvere chiuso fra mura alte tre metri. Con il boccone ancora all'altezza dello stomaco dobbiamo concentrare in quarantacinque minuti una vitalità cresciuta a dismisura un'ora dopo l'altra; e subito rientriamo con le divise che puzzano di sudore e le mani gelate. La giornata come due valve si richiude sulle aule grigie dove i vetri sono opacizzati perché non dobbiamo guardare fuori. Ma soprattutto da fuori nessuno deve guardare noi. Non c'è cielo né fronde, solo quel colore opaco da ospedale. I nostri banchi intarsiati dai pennini di generazioni di ex allieve si chiamano *pupitres* e hanno un coperchio che si solleva, all'interno giacciono i quaderni e le merende sbocconcellate di nascosto. A volte quando qualcuna alza il coperchio, dal pupitre si diffonde l'odore delle bucce di arancio rimaste troppo a lungo chiuse. Odio quell'odore. Anche l'odore di cavolo che la mattina annuncia quello che sarà il nostro pranzo al lungo tavolo del refettorio. La mia maestra si chiama signorina Minchetti e fin dal primo mese mi dà otto in condotta perché mi dondolo sulla sedia. Il pomeriggio, quando ho finito i compiti, mi chiudo in bagno e in piedi sulla tazza del gabinetto guardo attraverso la parte superiore della finestra tagliata via per arieggiare: vedo i prati di Villa Borghese segnati dai sentieri di terra, la luce che scivola sulla corteccia dei pini e si stende leggera sull'erba e sembra essere azzurra. Azzurra di quel cie-

lo che intravedo appena. Dei bambini passeggiano per
mano agli adulti, dei cani corrono liberati dal guinza-
glio; su una piattaforma di cemento alcuni operai,
giorno dopo giorno, costruiscono una casamatta di cemento. Il «fioretto», ha detto madre Immaculée, è
per esempio buttare nel gabinetto un frutto candito;
e la sua mano dalla pelle di pallido burro ha fatto il
gesto di lasciarlo cadere giú. Io non amo i frutti can-
diti ma buttarli nel gabinetto non potrei mai. Papà ci
nomina ogni tanto Rebuffi, il mendicante che suonava alla porta per avere un piatto di minestra quando
lui era bambino a Torino. Rebuffi è una parola con-
venzionale, decodificata significa: «non si lascia niente nel piatto, il cibo va rispettato perché c'è gente che
muore di fame e quello che tu sprechi farebbe la sua
felicità». Al massimo, come «fioretto» per la Quaresima, posso mettere via un cioccolatino per mangiar-
lo alle undici del Sabato Santo, quando si sciolgono
le campane per l'annuncio che Cristo è risorto.

In ricordo del suo digiuno nel deserto noi cristiani abbiamo l'obbligo di digiunare durante la Quaresima, ossia solo gli adulti: mangiare un'unica volta al
giorno e mai la carne o qualcosa di buono. A casa mia
però sono tutti «dispensati». Papà soffre di stomaco
e la mamma se non mangia, può svenire. Nel suo comodino ci sono sempre i sali pronti per rianimarla
chiusi in una boccetta di vetro blu. Italia e Letizia
non so, Italia dice che tanto per loro è sempre Quaresima. La domenica di Passione tutti i quadri in cappella vengono coperti da un drappo viola, e viola sono i paramenti del prete che dice Messa. Durante la
Quaresima non è bello giocare troppo, scherzare, ridere, mangiare dolci. La mattina, appena entrate, con
il velo bianco in testa andiamo in cappella a deposi-

tare ai piedi della croce i nostri «fioretti» scritti su
un foglio ripiegato. In Quaresima si fanno gli esercizi spirituali. Tre giorni durante i quali non ci sono lezioni ma si passa tutto il tempo insieme a un prete
che si chiama padre Pesce. Non si studia e non ci sono i compiti, al refettorio si sta in silenzio ad ascoltare la lettura della vita di San Tarcisio, il giovinetto lapidato per aver voluto mettere in salvo le ostie
con il corpo di Cristo. Neanche alla frutta arriva il
Deo Gratias. Il *Deograzias* è una parola in codice come Rebuffi. Per me che non so ancora il latino è un
suono rotondo che libera dal silenzio e trasforma di
colpo il refettorio in una voliera di uccelli. Ma durante gli esercizi spirituali nel refettorio si può sentire solo il rumore delle posate sui piatti e la voce di
madre Rose che legge; il silenzio ci insegue ancora come un'ombra impalpabile in quello che viene chiamato giardino dove non dobbiamo giocare ma «me-
ditare». Io guardo l'albero del pepe, le sue piccole foglie leggere, e fantastico. Con il clima di Roma non
arriva a fruttificare ha detto madre Immaculée; io im-
magino qualcosa di lucente come la corazza degli sca-
rabei. Il pomeriggio in cappella padre Pesce ci spiega cosa Dio si aspetta da noi: l'ubbidienza, la purezza, la preghiera. Il nostro cuore è simile a una stanza
che va ripulita di tutto lo sporco accumulato nell'anno, deve tornare pura come quando ci hanno battez-
zato. E non serve fare i furbi dice, e dare solo una
spolverata. La mamma, madre Immaculée, possiamo
anche ingannarle con una bugia, e loro non accor-
gersene. Ma Dio no. Lui ci vede sempre: «una for-
mica nera, sopra un sasso nero, in una notte nera,
Dio la vede!» È magro, i suoi occhiali rotondi riflettono la luce delle candele puntando diritti alla nostra

anima. Ho una terribile nostalgia del Cristo di gesso che indicava il suo cuore a nudo sul petto, i capelli castani fluenti sulle spalle. Non mi piacciono le
formiche, all'occhio di Dio preferisco le grandi ali di
piume dell'angelo Custode. Padre Pesce non parla
di «fioretti», con enfasi scandisce la parola «sacrifici». Il figlio di Dio è morto a causa nostra dice, per
salvarci, è lí che pende dalla croce, e il dito indica la
testa reclinata sul petto lacerato da una lunga ferita.
Lo hanno ucciso gli scribi e i farisei, ma anche noi
che abbiamo peccato, e quando commettiamo una
cattiva azione, diciamo anche soltanto una bugia o
abbiamo dei pensieri impuri, siamo anche noi come
gli scribi e i farisei. Come Caifa e la folla che gre-
miva la piazza di Gerusalemme e gridava «a morte,
a morte!» E dopo lo avevano frustato a sangue con
le verghe e gli avevano messo in testa una corona di
spine, e la folla lo aveva schernito attirando su di sé
una terribile maledizione. Ancora lo avevano costretto a portare sulle spalle una croce pesantissima
su su fino sul Golgota, il luogo del supplizio. E su
quella croce lo avevano inchiodato; e quando aveva
avuto sete e aveva chiesto da bere, gli avevano offerto, attaccata a un lungo palo, una spugna imbe-
vuta di aceto dicendogli «Se sei il figlio di Dio, salva te stesso!» E nel momento stesso della morte di
Gesú il cielo si era oscurato, si era lacerato il velo
nel Tempio di Gerusalemme, e Giuda che lo aveva
tradito con un bacio si era impiccato a un albero an-
dando difilato in bocca a Lucifero. «Vogliamo noi essere come quegli scribi, quei farisei, quella folla dal
cuore di macigno che gridava "a morte, a morte?"»
Dietro le lenti i suoi occhi sono punte di spillo che
frugano fra le nostre costole a scovare la formi-

ca nera su un sasso nero, nascosta nella notte dei nostri cuori. «Come Giuda che ha dato quel triste nome ai Giudei?...- la voce rimbalza come un fremito
tra i veli bianchi – O vogliamo essere buone cristia-
ne e rendere i nostri cuori simili a tabernacoli pronti ad accogliere il figlio di Dio nel giorno della sua
Resurrezione?»

Dietro di lui dobbiamo seguire tutte e quattordici le tappe della Via Crucis appese lungo le pareti. A
ogni «stazione» dove è rappresentata una scena del
crudele martirio ci mettiamo in ginocchio e recitia-
mo uno dei misteri del rosario. Se qualcuna si distrae
madre Elena le dà un pizzicotto; e se una chiacchie-
ra, dice soltanto una parola, con uno strattone la tira fuori dal gruppo e la fa inginocchiare da sola in
mezzo alla cappella.

Ancora la sera a casa dobbiamo restare in silenzio
e pensare alle frustate e alla corona di spine, ai chiodi che hanno trafitto le mani e i piedi di Gesú. Ma
una luce che prelude la primavera sfiora la facciata
del palazzo di fronte, le fave che ho piantato in un
vaso sul balcone si sono dischiuse su due foglioline
tonde e l'attesa del buio riempie di voci via Flaminia, le porte sbattono. Nel quadro dalla cornice azzurra la bambina dal basco rosso pattina sul lago
ghiacciato chiuso fra le montagne. In cucina Letizia
rigira nella padella le frittatine con la marmellata,
omelettes confiture le chiama la mamma. Allora è difficile continuare a pensare ai chiodi e alla croce, alla
corona di spine. Anche lei, la mamma, fa gli esercizi
spirituali a San Carlo al Corso, ma poi quando torna
a casa parla al telefono e dice a Letizia di mettere nelle omelette la marmellata di fragole. Io vorrei sapere
se giudei e ebrei sono la stessa cosa, la mamma dice

sí, è lo stesso, ma bisogna dire ebrei, giudei non è bello, è anche volgare. Si possono offendere.

Il Giovedí Santo vado con lei e papà a visitare i sepolcri. Tre o cinque, ma quasi sempre sette perché devono essere in numero dispari. Non è difficile tra piazza del Popolo e il Corso trovare sette chiese, e le strade sono piene di gente che entra e esce dai portali tra il luccicare dei lumini di cera intorno ai sepolcri. Alcuni di quelli che incrociamo il papà e la mamma li conoscono e si fermano a salutarli, io guardo i loro bambini e i loro bambini guardano me. Il sepolcro che mi piace di piú è sempre quello di Santa Maria del Popolo che ha davanti un tappeto di un'erba speciale cresciuta al buio, quasi bianca. Intorno risplendono calde tutte quelle fiammelle e come usciamo si respira un'aria di festa, un odore-colore che ricorda il mare. In ogni chiesa posso accendere una candela e sarebbe bello che il pomeriggio del Giovedí Santo non finisse mai. Che non conducesse dritto a quel Venerdí di tenebra, quando in cappella dobbiamo stare in piedi immobili per tutta la lettura della Passione di Nostro Signore Gesú mentre madre Elena ci osserva con i suoi occhi neri di carbone. Quasi sempre piove e il cielo è livido, quelle tre del pomeriggio, quando Gesú esala l'ultimo respiro, non arrivano mai. Ma dopo, oh dopo è bellissimo, Gesú ha finito di soffrire e avvolto nel sudario riposa nel sepolcro di Giuseppe di Arimatea e le suore ci mandano a casa. Noi scendiamo a piedi giú per Villa Borghese, il muschio è come un velluto sulle pietre della Fontana del Fiocco e i lecci altissimi lasciano cadere un'ombra viola. La nostra attuale Fräulein è una fervente e inconsapevole vergine cecoslovacca dalle treccine avvolte intorno alla testa e mentre camminiamo ci invita a respirare profondo per liberare i polmoni di tutta l'aria cattiva accumulata nel chiuso della giornata. Io cerco di imitarla e lo sguardo fissa il suo torace che si gonfia a dismisura sotto lo striminzito cappotto blu, i tratti del suo viso slavato che si animano e si colorano nell'enfasi del respiro.

Anche gli ebrei hanno la Pasqua, ha detto madre Immaculée, ma non ha niente a che vedere con la nostra festa. Loro non credono che Gesú sia risorto né che fosse figlio di Dio. E allora tutti quei segni, il cielo che si era oscurato, il velo nel Tempio squarciato a metà? Madre Immaculée ha il volto simile a un grande uovo, lucido al naso, sorride spesso mostrando l'arco compatto e rotondo di una miriade di denti, ma adesso le labbra si stringono severe e sembrano pronte a risucchiare l'aria intorno: non c'è peggior cieco di chi non vuol vedere, dice, né peggior sordo di chi non vuol sentire... Ma allora che razza di Pasqua è, cosa festeggiano? Certo non la Resurrezione, visto che Cristo lo hanno ucciso loro!... Madre Immaculée non l'ha detto, l'ho detto io; e sono fiera del mio acume. Una Pasqua per modo di dire quella degli ebrei, senza campane e senza agnello, senza uovo di cioccolata e nemmeno le pecorelle di zucchero con il nastrino rosso al collo.

Non so come viva questo inizio di guerra il ragazzo dei Levi, quel silenzio come un'ovatta che è calato nell'appartamento accanto dove la signora Della Seta vive con il fratello.

L'inverno 1939-40 è entrato sinistramente nella loro vita, da alcuni mesi è in funzione il Tribunale della Razza e loro non possono lasciare l'abituale residenza senza il permesso preventivo delle autorità di pubblica sicurezza. Non hanno piú il passaporto: intanto a che gli servirebbe? Dalla Germania arrivano notizie pesanti come macigni: gli ebrei hanno dovuto consegnare gli apparecchi radio, e se per il momento hanno ancora le tessere alimentari, non ricevono quelle per vestirsi e sono esclusi dall'assegnazione di pollame e di pesce e dalle distribuzioni straordinarie. A loro è concesso entrare nei negozi solo dopo le quattro del pomeriggio, quando i negozi hanno esaurito i generi non tesserati come frutta e verdura. Dei trentunomila deportati nel 1938 non si è saputo piú nulla e altre decine di migliaia, o forse centinaia di migliaia, sono partiti verso i territori della ex Polonia senza lasciare traccia. Le loro case sono state confiscate, i loro beni sequestrati per «scopi sociali», i conti in banca bloccati.

Io ho una nuova amica che ha il privilegio di avere lo stesso nome della strada dove abito: Flaminia. La sua governante è francese e lei la chiama *mademoiselle*. Quando andiamo a pattinare al Circo Massimo *mademoiselle* porta un cappello di feltro color topo e non dà confidenza a nessuno, passo passo segue Flaminia lungo il bordo del pattinaggio. Flaminia ha i boccoli neri e un bolero di castoro; al matrimonio dell'ultima figlia del Re è stata damigella d'onore. A casa sua una fotografia la mostra accanto alla sposa reale con un abito lungo ai piedi e una coroncina di rose sui boccoli neri, le braccia nude fuori dalle corte maniche a sbuffo. In altre fotografie disseminate sui mobili la Principessa di Piemonte ha gli occhi chiari come pietre di fiume mentre il Principe la fronteggia sul pianoforte, alto e bello nella divisa, la dedica compostamente regale. Anche il Duce è pre-

sente, seduto al suo tavolo di lavoro a Palazzo Venezia, l'inconfondibile M della firma frettolosa di capo
preposto al destino del mondo. Flaminia ha anche un
cane, un fox-terrier, e per pettinarlo tiene in bagno
un pettine d'argento. Per giocare noi abbiamo a disposizione una stanza-ripostiglio protetta da tende
rosse dove ci sono abiti da sera e vecchie mantelle di
velluto, grandi cappelli con le piume. Il cuoco Zeno
ci prepara a merenda del pane in cassetta che si presenta in tante strisce sottili: fra una striscia e l'altra
c'è il prosciutto o il salame, o la maionese con i ce-
triolini. E perfino Olga la cameriera deve essere ricchissima se per la Prima Comunione ha regalato a Flaminia una spilla a forma di gallo il cui corpo è una
grande perla «scaramazza». Noi giochiamo a ma-
scherarci aiutate da *mademoiselle* e Flaminia preten-
de sempre per sé la parte della fata o della regina.

Flaminia è la figlia piú piccola dei nuovi amici che
i miei genitori hanno conosciuto a Cortina durante
le vacanze di Natale. I nuovi amici e Cortina sono
talmente piaciuti al papà e alla mamma che questa
estate andremo tutti insieme in due case poco lontane lungo la strada che da Cortina sale verso il Poma-
gagnon. Per il momento hanno preso due palchi vicini all'Opera e ogni domenica pomeriggio ci ritro-
viamo a teatro. La mamma ci ha fatto cucire dalla sua
sarta dei vestiti di velluto bordeaux con il colletto di
pizzo e uno zucchetto dello stesso velluto da mettere in testa. Flaminia invece ha tanti vestiti leggeri di
raso giallo, verdolino o celeste, corti sulle ginocchia,
e sopra porta dei golfini d'angora fatti a mano. Seduta ferma nel palco soffro e il tempo non passa mai,
per mia disgrazia non capisco niente di musica e col-
go tutto l'orrore di quei tenori con la pancia e quel-

le cantanti palpitanti di grasso. Con lo sguardo fisso
all'orologio automatico al disopra del palcoscenico
aspetto solo l'attimo, ogni cinque minuti, quando
scatta in avanti. Fino al momento dell'intervallo. Allora con Flaminia ci scateniamo a correre lungo i cor-
ridoi, a spiare nei palchi di persone sconosciute.
Apriamo e chiudiamo di botto le porte e scappiamo
via prima che gli sguardi riprovevoli volti alla nostra
intrusione si concretizzino in qualche rimprovero. I
nostri genitori si riuniscono a chiacchierare in un unico palco e la mamma di Flaminia offre in giro delle
nuove caramelle avvolte in una carta d'argento su cui
è scritto «tu ed io». A me non piacciono perché sono di anice ma fingo che siano buonissime. I genitori di Flaminia conoscono tante persone importanti e
sono sicuri che i tedeschi vinceranno presto la guerra perché sono ordinati e disciplinati al massimo mentre gli inglesi non hanno voglia di combattere, conoscono solo la parola comandare. Loro lo sanno bene
perché il figlio maggiore è fidanzato con una ragazza inglese (in salotto c'è anche la sua fotografia con
la testa inclinata da un lato); ma adesso che gli inglesi
stanno per diventare i nostri nemici forse quel fidanzamento si scioglierà. Mussolini a loro piace molto e alla inserviente che apre i palchi danno del «voi»;
ma papà dice che basta non parlare di politica. La
mamma e la sua nuova amica si danno del tu. Papà
continua a dare a tutti del lei perché cosí, dice, è stato abituato. Il «tu» lo dà solo certe volte agli operai,
quando capisce che a loro fa piacere.

Il 12 maggio 1940, dopo aver rovesciato nella notte una tempesta di bombe sulla città olandese di Rot-

terdam, la Germania invade il Belgio, l'Olanda e il Lussemburgo. Il giorno seguente «L'Osservatore Romano» pubblica il testo dei telegrammi inviati da Pio XII ai tre inermi paesi vittime dell'aggressione. Alcune edicole che hanno in vendita il quotidiano cattolico sono saccheggiate e rovesciate dai teppisti mandati da Farinacci: un chiaro segnale che il nostro Duce ha deciso di non restare piú a lungo un inerte spettatore ma di prendere parte al banchetto prima che sia troppo tardi.

Le scuole chiudono in anticipo e ai primi di giugno siamo già a Ostia, al mare. L'8 il Nunzio apostolico a Berlino, monsignor Orsenigo, manifesta a Ernst Wörmann, rappresentante del Ministero degli Esteri tedesco, il desiderio che anche l'Italia entri in guerra e si congratula per le vittorie della Germania. Scherzando si augura poi che i tedeschi entrino a Parigi da Versailles.

Il pomeriggio del 10 giugno, dal balcone di Palazzo Venezia, accolto dal fragore degli applausi, Mussolini annuncia ai cittadini della penisola che da quel momento sono in guerra contro la Francia e l'Inghilterra. Mio fratello uscito per comprare una palla, premio per la promozione in quarta ginnasio, viene convogliato di forza nella manifestazione capeggiata dal macellaio di Ostia e portato sotto la casa di un inglese a scandire ingiurie. È una giornata caldissima; con la scusa di bere a una fontanella, riesce a svicolare. Anche la palla è salva, bianca e azzurra ha i colori della Lazio. La sera stessa papà va a trovare la signora Fioravanti, che è francese, per testimoniarle la sua solidarietà umana e la sua vergogna di italiano per quella che nei decenni a venire sarà chiamata «la pugnalata alle spalle».

Il giorno dopo il cardinale Tisserant manda al cardinale Suhard una lettera drammatica su quanto sta accadendo e sull'ideologia fascista e hitleriana che ha trasformato la coscienza dei giovani: «quelli sotto ai trentacinque anni – scrive – sono disposti a tutto... Ho domandato con insistenza alla Santa Sede dall'inizio di dicembre, di fare una enciclica sul dovere individuale di obbedire ai dettami della coscienza, perché è il punto vitale del Cristianesimo... Temo che la storia dovrà rimproverare alla Santa Sede di aver fatto una politica di comodo per se stessa e non molto di piú. È molto triste per chi ha vissuto sotto Pio XI...»

All'alba del 14 di quello stesso giugno le avanguardie tedesche di von Küchler entrano a Parigi e le truppe a cavallo sfilano sotto l'Arco di Trionfo. Qualche giorno dopo Hitler compie una blitz-visita nella capitale francese: sono le sei del mattino e la Mercedes nera decapottabile percorre le strade e i boulevard ancora deserti per salire fino alla collina di Montmartre. Dall'alto della bianca chiesa del Sacro Cuore il Cancelliere del Reich può adesso dominare il regno appena conquistato dove la Tour Eiffel si disegna leggera nella mattina di giugno. Prima che il sole sia alto, Hitler è già ripartito; e Parigi non la rivedrà mai piú.

La Francia è stata divisa in due zone: la piú grande a nord occupata dalle truppe del Reich. La seconda, a sud-est, con capitale Vichy, rimane sotto giurisdizione francese.

Il governo della zona cosí detta «libera», di cui è Presidente il maresciallo Pétain (un «eroe» della prima guerra mondiale) e Primo Ministro Pierre Laval (un ex deputato socialista passato nelle file dell'estre-

ma destra), non perde tempo e il 3 ottobre emana una
legislazione antiebraica prendendo a modello quella
fascista. Speciali misure restrittive sono adottate nei
confronti di quegli ebrei, molto numerosi, che fra il
'33 e il '39 hanno cercato rifugio in Francia fiducio-
si nella solidità della linea Maginot e nella antica tradizione liberale del paese.

Léon Bérard, nuovo ambasciatore francese in Vaticano, chiede una presa di posizione ufficiale da parte della Chiesa sulle nuove misure adottate dal suo
governo. La risposta è per Laval e Pétain un tran-
quillizzante messaggio: «In uno stato cristiano sarebbe insensato lasciare le leve di potere in mano agli
ebrei, limitando cosí l'autorità dei cattolici. È quindi legittimo negare loro l'accesso a cariche pubbliche
e dare loro un numero limitato di posti nelle università e nelle libere professioni».

Ma la guerra è ancora qualcosa che non mi riguarda e in certi momenti mi appare addirittura esaltante. La prima notte che suona l'allarme per un aereo
francese che sorvola Roma lanciando dei volantini,
mi metto a saltare sul letto dall'eccitazione. E quando alla fine di luglio arriviamo a Cortina, la sera mi
affaccio incantata a guardare la valle che l'assenza di
luci rende simile a un presepio con la luna che spun-
ta dalle montagne.

Noi bambini prepariamo una recita per festeggiare l'onomastico della mamma di Flaminia. La scelta
cade sul *Principe Ranocchio* e naturalmente Flaminia
ottiene la parte della principessa. Io sono un servi-
tore con l'unica battuta «C'è un signore con una cassetta».

I genitori di Flaminia sono ancora sicuri che la guerra durerà al massimo un paio di stagioni. Noi, in attesa dei successi dei nostri soldati, abbiamo dichiarato guerra ai bambini di una casa vicina e ci scambiamo biglietti ingiuriosi attaccandoli agli alberi. Io riporto la frattura del setto nasale in maniera del tutto ingloriosa: mio fratello, nell'ordinarmi di andare a staccare un biglietto appuntato a un tronco, si gira verso di me con una tale foga che il bastone nella sua mano mi colpisce esattamente alla radice del naso.

Ma anche l'amore ha la sua parte in questa prima estate di guerra, e quando mia sorella maggiore e alcune sue amiche si dichiarano innamorate di un ragazzo che risponde al nome di Rienzi, per non essere da meno dico di esserne innamorata anche io; e nonostante sia la piú piccola riesco a ottenerne un bacio. Per scambiarlo sono però costretta a salire su uno sgabello. L'emozione è zero, ma l'esibizione molto gratificante.

È un'estate bellissima; come era previsto il fratello piú grande di Flaminia ha rotto il fidanzamento con la ragazza inglese e segue un corso per ufficiali. L'altro fratello, che ha fama di gran seduttore, corteggia una diciannovenne considerata molto spregiudicata perché porta i pantaloni di flanella e si tinge le unghie di rosso. Io e Flaminia li spiamo ma non riusciamo a vedere nulla di piú che qualche «mano nella mano».

A fine agosto arriva la notizia piú strabiliante: la mamma di Flaminia aspetta un bambino. Né io né Flaminia sappiamo ancora quale sia la causa di tale effetto o conosciamo la esatta localizzazione del nascituro. Qualcosa però ci deve passare per la testa se, chiuse in bagno, Flaminia si toglie le mutandine e mi

lascia vedere il suo piccolo sedere tondo; quando tocca a me abbasso le mie solo quel tanto sufficiente a
scoprire l'inguine, rifiutandomi di mostrare altro. Ri-
tengo infatti la parte posteriore molto piú riservata
e impegnativa.

Con l'entrata in guerra dell'Italia gli ebrei definiti «stranieri» (i profughi; ma anche quelli che hanno
ottenuto la cittadinanza italiana dopo il 1919) sono
arrestati per essere poi condotti con le manette ai pol-
si nei campi di internamento. L'ordine include anche
gli ebrei di paesi alleati, quali i tedeschi e i cecoslo-
vacchi. Una serie interminabile di circolari ha intanto cominciato a rendere sempre piú difficile la vita
agli ebrei italiani. Se i primi provvedimenti avevano
lo scopo di isolarli, i divieti imposti via via dal Ministero degli Interni tendono progressivamente a im-
pedirgli di lavorare; e di conseguenza a renderne sempre piú precaria la sopravvivenza. Ogni volta che una
«persona di razza ebraica» chiede una licenza per
esercitare un'attività, una circolare emanata *ad hoc*
gliela vieta. Agli ebrei viene impedito, un mese via
l'altro, di commerciare in preziosi, di scattare fotografie o avere a che fare con apparecchi fotografici,
di essere mediatori e piazzisti. Di esercitare la professione di tipografo, di vendere oggetti d'arte e an-
tichi, di commerciare in libri e in oggetti usati, di
vendere articoli per bambini e carte da gioco, oggetti di cartoleria. Di vendere occhiali o apparecchi ot-
tici, di avere depositi o rivendite di carburo di cal-
cio, di gestire locali di mescita di alcolici. È loro vietata la raccolta di rottami metallici e di metalli in
genere, di lana da materassi. Di rifiuti. La raccolta e

la vendita di indumenti militari fuori uso. È vietato gestire scuole di ballo, scuole di taglio, agenzie di viaggio e di turismo. Noleggiare film. Avere la licenza di pescatore dilettante ma anche quella per guidare i tassí. Essere insegnanti privati di alunni non ebrei. Entrare nei locali della borsa valori; ma anche nelle biblioteche pubbliche. Far parte di cooperative o di associazioni culturali e sportive. Essere membri della società per la protezione degli animali. Fare la guida o l'interprete. Allevare colombi viaggiatori.

Il lieto evento in casa di Flaminia ha luogo alla fine dell'anno: è una bambina e le viene imposto il nome di Maria Vittoria in onore, e in auspicio, di una vittoria che appare ormai imminente. E il Duce invia un telegramma di auguri.

Il 15 ottobre, intanto, l'Eiar (Ente italiano audizioni radiofoniche) ha iniziato una nuova serie di trasmissioni che vanno in onda ogni mercoledí alle 19,30 a cura del Ministero della Cultura Popolare, della durata di dieci minuti ognuna. Soggetto: *I Protocolli dei Savi Anziani di Sion*.

Il capodanno che vede morire il 1940 e cominciare il 1941 trova ancora gli italiani ottimisti e pronti a festeggiare con vino, spumante nazionale o francese a seconda del livello economico. Il Papa ha un cordiale incontro con l'ambasciatore von Bergen durante il quale si congratula dei successi della Germania in un lungo discorso in tedesco.

Il 21 marzo, primo giorno di primavera, il giornale di Lisbona «A Voz» scrive che 700 preti sono sta-

ti uccisi nei campi di concentramento di Orianen-
burg, Dachau, Buchenwald e Oświęcim (Auschwitz),
e 3000 sono detenuti. Le notizie che arrivano sulle
vessazioni, le deportazioni e le uccisioni di cui è oggetto il clero polacco che non si sottomette di buon
grado alle regole spietate degli invasori, non sono ormai un mistero in Vaticano.

Ma nessuna protesta ufficiale viene inoltrata a Berlino, mentre si fanno sempre piú insistenti le voci di
un attacco delle truppe tedesche a est, in direzione
dell'Unione Sovietica

Il 22 giugno l'operazione «Barbarossa» ha inizio.
Le armate di von Leeb, von Bock e von Rundstedt
(110 divisioni in tutto) attaccano l'Unione Sovietica
su un largo fronte e in pochi giorni conquistano la
parte di Polonia sotto controllo sovietico entrando in
Ucraina. Duecentosessantamila soldati italiani, l'AR-
MIR, partono per affiancare i camerati tedeschi ancora e sempre vincitori. E la pace che soltanto pochi
mesi prima sembrava a portata di mano comincia lentamente ad allontanarsi, trascinata via dalle tradotte
che nel caldo e nella polvere dell'estate trasportano i
nostri soldati a migliaia di chilometri da casa, in un
paese che faticano a individuare sulla carta, a tracolla ancora i fucili novantuno della prima guerra mondiale e le fasce alle gambe.

In Vaticano non si nasconde la soddisfazione per
l'attacco all'Unione Sovietica e le brillanti vittorie
tedesche. E se fino al 22 giugno, in termini piú o meno velati, la Radio vaticana menzionava ancora la sorte della Chiesa in Polonia, dopo l'inizio della campagna di Russia qualsiasi allusione sfavorevole al Reich
scompare dalle trasmissioni. L'ambasciatore in Vaticano von Bergen può scrivere a Berlino il 26 giugno

«Il Nunzio mi ha domandato oggi se abbiamo ancora
da fare delle lamentele riguardo alla Radio vaticana.
Gli ho risposto di no». E nonostante che i preti im-
prigionati e deportati in Germania siano ormai molto numerosi (solo a Dachau gli americani ne troveranno nel 1945 ancora 326), nessuna voce si leva a
denunciare quel Concordato firmato da monsignor
Pacelli solo otto anni prima, e che Hitler tradisce come e quando gli fa comodo.

Nel discorso del 29 giugno diffuso alla radio in occasione della festa dei santi Pietro e Paolo, le parole
del Papa «Certo, nelle tenebre dell'uragano, non
mancano delle schiarite che innalzano l'animo verso
grandi e sante speranze: un generoso coraggio al servizio della difesa dei fondamenti della cultura cri-
stiana e una speranza assicurata del suo trionfo...»
sembrano di buon auspicio all'ambasciatore von Bergen che può riportarle nel suo dispaccio a Berlino.
«Pio XII ha voluto cosí esprimere – scrive – la speranza che i grandi sacrifici richiesti da questa guerra
non saranno inutili e porteranno alla vittoria sul bolscevismo, secondo la volontà della Provvidenza».

I 40 milioni di cattolici, tanti sono ora in tutto il
vasto territorio del Reich che estende il suo potere
oltre che sulla Francia, il Belgio, l'Olanda, il Lussemburgo e la Polonia, anche sulla Norvegia e la Danimarca, possono dormire sonni tranquilli e festeggiare le strepitose vittorie delle armate germaniche
che avanzano a est, in apparenza inarrestabili.

Alla fine dell'anno scolastico veniamo portate in
Vaticano per essere ricevute in udienza privata dal
Papa. Un privilegio raro che Pio XII concede al no-

stro Istituto di cui è stato assistente spirituale quando era un giovane sacerdote all'inizio della carriera. A quel tempo veniva una volta alla settimana a confessare le suore consacrate a Maria Santissima Assunta in Cielo. Adesso ritrovarlo Papa è per quelle stesse suore, soprattutto le piú anziane, una emozione indicibile, e già dalla mattina alle otto noi siamo incolonnate per due a provare e a riprovare gli inchini, i canti, le genuflessioni, vestite con la divisa di panno bianco delle grandi occasioni; e sudiamo, sudiamo. Sudano le suore e goccioline imperlano il lungo naso molle di madre Immaculée, quello dritto a punta, sempre fremente di madre Elena (cosí forse era il naso della monaca di Monza). Perfino quello impassibile e occhiuto, da formichiere, della madre Superiora, si ricopre di goccioline mentre gira intorno come un periscopio a snidare l'impercettibile macchia sul bianco delle calze, il fiocco allentato di una treccia.

Il sole di giugno picchia sui selci di piazza San Pietro dove l'ombra aguzza dell'obelisco disegna l'ago di una meridiana, in ordine per due noi sfiliamo davanti alle guardie svizzere con le alabarde arroventate dal caldo, le «figlie di Maria» in testa che fanno ballonzolare sul petto la medaglietta di latta appesa a un largo nastro celeste (onore supremo). Seguono le «aspiranti» che piú modestamente lasciano oscillare una medaglietta di dimensioni ridotte appesa a un nastrino bianco e viola. Quasi la gerarchia di un esercito in cui io, indegna perfino della spilletta con medaglia della «ricompensa», mi confondo nella truppa priva di grado e di merito.

Il ricordo che conservo di Pio XII è circonfuso da un alone di sacralità, tutto è bianco e sfumato quasi fossimo state immerse nel candore come il grande Nikolas immergeva nell'inchiostro i bambini cattivi. Noi siamo buone e piene di «fioretti», io devo chiedere la «grazia», non ricordo piú quale. Le parole mi muoiono sulle labbra e ricorro alla frase piú banale: non voglio dire mai piú bugie, balbetto. I pavimenti risplendono di luce, il sole è atroce, intorno irraggiano le pareti pitturate come nei cieli del Paradiso. Il Papa mi lascia scivolare fra le mani una bustina bianca con lo stemma d'oro. Dopo, dall'interno, ne scivola fuori un rosario madreperlaceo, forse di galalite, il cui valore è inestimabile.

Nella fotografia scattata sul sagrato di fronte alla basilica il Papa non c'è, io sono di lato, in seconda fila con il velo bianco rigido d'amido. Non ci sono neanche le suore. Nella fotografia si è perso ogni alone, ogni sacralità, c'è solo una piramide bianca di bambine che culmina in alto con le allieve piú grandi, pettorute contro il grigio pallido della facciata. Di fianco la signorina Garroni in nero con il velo nero di merletto sulla testa.

Ad agosto padre Maximilian Kolbe, prete polacco, muore a Auschwitz. Piú o meno dritto anche se non si può dire in piedi perché ha le ossa spezzate: il «bunker della fame» del lager è infatti una specie di bara verticale che non permette altre posizioni. Nudo, senza acqua e senza cibo. Muore perché uno dei prigionieri è fuggito, e la rappresaglia delle SS addette al campo prevede che a dieci prigionieri selezionati dal medesimo blocco del fuggitivo siano rotte le ossa a bastonate e dopo vengano murati in quelle strette celle verticali a morire di fame e di sete.

Padre Kolbe si è offerto volontario al posto di uno dei prescelti.

A settembre in Germania e su tutti i territori sotto giurisdizione del Reich viene fatto obbligo agli ebrei, a partire dai bambini da sei anni in su, di portare bene in vista una stella di panno giallo cucita sugli indumenti, cosí da poter essere individuati in qualsiasi momento. L'anno successivo, nel giugno del 1942, la stessa misura verrà adottata anche nei territori occupati.

Sempre a settembre del 1941 il *Blitzkrieg* perde per la prima volta il suo slancio. Nel fango prima, nella neve subito dopo. Intrappolate nel gelo del grande inverno russo, a trenta gradi sotto zero, le armate di Hitler si inchioderanno a pochi chilometri da Mosca senza riuscire a scorgerne, nemmeno nelle giornate terse di vento, il lontano profilo delle sue cupole a cipolla. Ricominceranno a muoversi quelle truppe, incalzate dall'armata sovietica, all'inizio di dicembre; per ripiegare poi nell'inverno del 1942-43, rovinosamente e drammaticamente. I morti durante i cinque anni di guerra saranno in Europa oltre cinquanta milioni: la cifra esatta non sarà mai possibile determinarla.

Ma nel novembre del 1941 Pio XII può ancora esprimere all'ambasciatore spagnolo in Vaticano, Yanguas Messia, la piú calda simpatia per la Germania e la sua ammirazione per le grandi qualità del Führer. Dichiarazioni che riferite all'ambasciatore von Bergen possono essere da lui inviate con un soddisfatto telegramma a Berlino il giorno 17.

Il 29 di quello stesso mese il senatore Pietro Fedele, segretario della Consulta Araldica, chiede udienza a Pio XII. Ha ricevuto dal Re l'incarico di riferirgli che Sua Maestà avrebbe intenzione di attribuire il titolo di Principe alla famiglia Pacelli, nella persona del fratello di Sua Santità, Francesco, e dei di lui figli. Il fatto è insolito, e sono ignote le ragioni di una cosí particolare benevolenza da parte di Vittorio Emanuele III, notoriamente massone. Pio XII ringrazia, e naturalmente accetta.

A Berlino, intanto, l'11 di quello stesso novembre, un prete di sessantasei anni, Bernard Lichtenberg, Priore del capitolo della cattedrale di Santa Hedwige (l'unico a protestare pubblicamente nel '38 per «la notte dei cristalli»), durante la funzione della sera prega pubblicamente per gli ebrei, battezzati e no. La polizia perquisisce il suo appartamento e trova la bozza di un altro sermone che mette in guardia i fedeli dal credere a quanto il regime va predicando sulle presunte accuse agli ebrei; e lo arresta. Il Nunzio a Berlino, monsignor Orsenigo, non si informa neanche delle ragioni che hanno portato in carcere il Priore della cattedrale. Lichtenberg chiede di essere inviato all'est insieme agli ebrei per pregare con loro in qualche luogo lontano. Condannato a due anni, verrà scarcerato il 23 ottobre del 1943 per essere preso in consegna dalla Gestapo e mandato a Dachau. Morirà prima di arrivare a destinazione.

L'8 dicembre 1941 vede la grande svolta. I giapponesi con un attacco a sorpresa bombardano, e in gran parte distruggono, la flotta americana ancorata a Pearl Harbour. Gli Stati Uniti, che fino a quel mo-

mento si erano limitati a un robusto sostegno mate-
riale e morale all'Inghilterra e all'Unione Sovietica si
ritrovano da un giorno all'altro al centro del conflitto.
Immediatamente la Germania e l'Italia si affiancano
all'alleato giapponese e dichiarano a loro volta guerra
agli Stati Uniti.

Ma se alla notizia dell'attacco di Pearl Harbour,
Churchill ha lanciato in aria il berretto in un simbo-
lico hurrà, l'entrata in guerra degli Stati Uniti non riscuote in Vaticano altrettanto entusiasmo. Si teme
adesso una disfatta della Germania con il conseguen-
te rafforzamento della «gigantesca piovra sovietica».
Piovra che con i suoi tentacoli sanguinolenti continua
a guardarci minacciosa dai manifesti murali.

Ancora niente turba l'ordine di via Flaminia. La
mamma di Giorgio Levi, che da ragazza si era diplo-
mata a Cambridge, si è messa a dare lezioni di inglese. Da lei possono venire solo studenti ebrei e la portiera Elsa vigila sulla moralità razziale del palazzo.
Giorgio frequenta una scuola allestita dalla comunità
ebraica a Trastevere e la mattina molto presto parte
in bicicletta con una sciarpa al collo. Qualche volta,
ancora assonnata, lo vedo dai vetri del piccolo autobus che ci porta a scuola mentre pedala veloce verso
il Lungotevere, la bicicletta che sobbalza sulle rotaie
del tram. Il nostro autobus fa lunghi giri prima di fermarsi davanti al cancello nero di corso d'Italia e si
riempie oltre ogni limite, le piú piccole sono costrette in braccio alle piú grandi che le tormentano con i
pizzicotti. Io per fortuna ho dieci anni e i pizzicotti
non mi spettano piú, frequento la quarta elementare
e la mia maestra è adesso la signorina Garroni, una

specie di suora laica, anziana e grassa, che per tenere su la dentiera mastica la carta assorbente nascosta
in un cassetto della cattedra. La mia pagella porta
quasi ogni mese il commento «può fare di piú»; è un
tormentone che va e viene come l'otto in condotta
che papà ritiene del tutto insufficiente. A causa delle tessere annonarie, con mia sconfinata gioia, non
mangiamo piú cavoli e riso insieme alle interne ma ci
portiamo il pranzo da casa che consumiamo in una
saletta a parte insieme a poche elette. Letizia cucina
frittate e spinaci, patate al forno; e quando apriamo
la scatola metallica del pranzo si sprigiona un forte
odore casalingo molto consolatorio.

Accanto a me durante l'ora di religione è venuta a
sedersi una bellissima bambina dalla pelle lievemente bruna e il naso sottile. Non porta la divisa e ha uno
strano nome che ricorda il delta del Nilo. Il suo silenzio mi affascina; ha mani esili e affilate, inquiete,
che scrivono svogliatamente su un quaderno. Quando usciamo viene a prenderla una istitutrice dal severo abito blu e il corto velo dello stesso colore, insieme salgono su una carrozza chiusa, un Landau, con
lo stemma principesco sullo sportello. Un pomeriggio ho intravisto all'interno una signora con lo stesso viso sottile dalla pelle levigata che emergeva da un
collo di volpe grigia. Poi improvvisamente un pomeriggio, approfittando di un momento di assenza di
madre Immaculée, la mia vicina di banco comincia a
parlare e mi racconta che segue le lezioni di religione perché deve fare la Prima Comunione: ma non è
mai stata a scuola, e forse non ci andrà mai. Studia
in casa, è figlia unica; e il labbro superiore legger-
mente sollevato mostra dei piccoli denti bianchi e
puntuti. Ma non appena madre Immaculée rientra,

subito torna muta, solo la bocca ha una lieve contra-
zione in un sorriso complice che non riguarda gli occhi tornati a fissarsi davanti senza espressione: e quel
labbro appena troppo alto sui denti rende adesso il
suo sorriso un poco crudele, ma anche infelice.

Poi, prima di Natale, da un giorno all'altro, cosí
come è venuta, scompare; il *pupitre* vuoto diventa il
buco attraverso cui è sparita per perdersi nelle viscere
della terra dove corre adesso sul Landau con il pettoruto cocchiere a cassetta. All'interno è rimasto il
suo astuccio di legno con una matita e una gomma
che non oso toccare.

Quando torno dopo le vacanze di Natale vicino a
me è di nuovo seduta Maria Luisa Rosi che chiacchie-
ra di continuo portandosi una mano davanti alla bocca per non farsi vedere; e quando madre Immaculée
volta la testa, da sotto l'anta sollevata del pupitre, mor-
de vorace la sua merenda in una pioggia di briciole.

Anche se la mia fuggevole e aristocratica compagna di banco è sicuramente ariana, è comunque la prima di una serie di fugaci apparizioni che si intensifi-
cheranno l'anno seguente per poi toccare il culmine
nell'inverno 1943-44, quando allieve dai nomi di fantasia verranno ad animare il grigiore e il freddo delle ore scolastiche. Nuove compagne dall'accento to-
scano o triestino la cui ascendenza e provenienza sarà
tanto piú interessante in quanto varia e indefinita insieme. Saranno le figlie di genitori misti o israelite a
pieno titolo. Alcune battezzate in fretta, tutte in fretta infagottate in divise di emergenza.

Il 20 gennaio 1942, durante la «Conferenza» che
si tiene a Wannsee sotto la presidenza di Reinhard

Heydrich, mentre lo sguardo dei maggiori responsabili della politica del Reich svaga sui laghi e i bellissimi boschi che circondano Berlino, viene segretamente decisa per gli ebrei «la soluzione finale», pallido eufemismo per significare il loro sterminio totale.

Non che gli eccidi in massa non siano già cominciati. Da quando, nella primavera del 1941, sono stati istituiti gli Einsatzgruppen, si calcola che siano già state uccise 800 000 persone fra ebrei e comunisti, in maggioranza nei paesi dell'est. Ma la «soluzione finale» prevede la morte di circa undici milioni di ebrei e l'organizzazione da mettere in atto deve essere perfetta e estremamente efficiente e rapida. Per superare l'ostacolo che rappresenta l'eliminazione fisica di milioni di persone viene deciso il campo di sterminio modello di Birkenau, a qualche chilometro da quello ricavato dalle ex caserme dove la I. G. Farbenindustrie ha posto all'ingresso la scritta di ferro battuto: *Arbeit Macht Frei*, che figura davanti a tutte le sue fabbriche. In questa piana desolata e battuta dai venti della Polonia annessa al Reich, dove Oświęcim è stata ribattezzata Auschwitz, i binari dei treni con i deportati arriveranno a Birkenau (o Auschwitz II) direttamente nelle vicinanze dei cinque forni crematori. Degli speciali carrelli ascensionali collegheranno i forni alle sottostanti camere a gas mascherate da docce dove verrà immesso, da apposite aperture, lo Zyklon B, un gas che uccide al massimo in un quarto d'ora. Questo permetterà di agire con maggiore velocità e praticità e lontano da occhi indiscreti. I traumi per gli esecutori saranno ridotti all'essenziale. Infatti le uccisioni nei camion a chiusura «stagna» con lo scappamento che scarica il gas direttamente all'interno, costruiti su ordinazione dalla Diamond, la Opel-Blitz e la Saurer, consentono, anche se usati a pieno regime facendo loro effettuare piú viaggi al giorno, un numero di morti inadeguato alla richiesta. Impiegati nell'autunno del '41 a Chełmno, vicino a Łódź, si sono inoltre dimostrati poco pratici in quanto la morte è lenta; e dopo lo scarico dei corpi presenta piú di un problema.

Altri campi di sterminio vengono decisi a Bełżec (diventerà «operativo» a marzo), a Sobibór («operativo» a maggio) e a Treblinka («operativo» a luglio).

La «soluzione finale» infatti si articola in quattro tempi: schedare le vittime, spogliarle dei loro beni, ridurre la loro libertà di movimento, e infine deportarle per l'eliminazione. Il costo del trasporto per ferrovia dovrà essere finanziato dagli ebrei stessi con la confisca di quanto ancora gli è rimasto al momento della deportazione. Alle ferrovie tedesche, che consentono una tariffa di gruppo a partire da 400 deportati, andranno anche il ricavato delle fedi nuziali e dei denti d'oro strappati ai morti prima di essere introdotti nei forni crematori.

Non è mai stato veramente chiarito, quando, e come, le notizie dello sterminio programmato degli ebrei siano arrivate in Vaticano. Il 9 febbraio, in ogni modo, monsignor Orsenigo, Nunzio a Berlino, chiede il trasferimento a Dachau dei preti rinchiusi nel campo di Auschwitz.

Il 28 febbraio del 1942 l'arcivescovo di Cracovia, Adam Sapieha, scrive una lettera in latino indirizzata al Papa in cui denuncia i delitti orribili di cui sono vittime il clero e i cittadini polacchi. Il tono della lettera è tragico anche perché manca il cibo per una minima sopravvivenza. L'arcivescovo consegna la lettera a padre Pirro Scavizzi, cappellano militare di un treno ospedale dell'Ordine di Malta, perché la porti a Roma.

Ma il giorno dopo l'arcivescovo ci ripensa e manda il padre domenicano Voroniewsky per chiedere a padre Scavizzi di distruggere la lettera: ha paura delle rappresaglie naziste, si sente troppo esposto e insieme a lui tutto il clero polacco. Padre Scavizzi obbedisce e brucia la lettera; ma prima la ricopia per intero e con quella lettera in tasca parte per Roma.

Pio XII la leggerà alcuni giorni dopo e padre Scavizzi gli descriverà quanto si sta verificando in Polonia. «Qualcuno – dice – pretenderebbe, nientemeno, una scomunica contro Hitler e i suoi seguaci...» Pio XII (è padre Scavizzi a raccontare) che ha ascoltato «commosso e convulso» il drammatico resoconto, leva le mani al cielo «Dica a tutti, – risponde – a quanti può, che il Papa agonizza per loro e con loro!...»

A livello ufficiale non risulta però alcuna protesta né tantomeno un pronunciamento *expressis verbis*. Questo tipo di condanna non avverrà mai per tutta la durata della guerra, anche se in Polonia, nella parte annessa al Reich sotto il nome di Warthegau e governata da Hans Frank, i vescovi internati o deportati sono cinque su sei e la maggioranza dei circa duemila preti non è piú in grado di esercitare perché arrestata o chiusa nei campi di concentramento. (Pio XII scomunicherà nel 1949 i comunisti e quello stesso anno un'altra scomunica colpirà i responsabili dell'arresto del cardinale Mindszenty in Ungheria. E nel 1955 sarà la volta della scomunica a Perón). Neanche la fedele suor Pascalina parla nelle sue memorie della lettera portata da padre Scavizzi, ma alla morte di Pio XII brucerà due interi sacchi di documenti. Sarà poi lo stesso arcivescovo Sapieha a scrivere l'8 novembre del '42 al governatore Frank: «Non mi dilungherò sull'atrocità rappresentata dal fatto di utilizzare dei giovani ubriachi del Servizio del lavoro per sterminare gli ebrei...»

Resta comunque abbastanza singolare che per tutto il 1942 la chiesa cattolica tedesca continui a percepire dal Reich hitleriano 900 000 000 di marchi come contributo per il culto.

Sempre in quel 1942, a maggio, viene introdotta per gli ebrei italiani la precettazione civile a scopo di lavoro. Decisione motivata, secondo la Demografia e Razza, dal malcontento popolare per la posizione di favore in cui si sono venuti a trovare gli ebrei «che liberi da obblighi militari, possono dedicarsi all'affarismo e all'ozio, menando una vita, che suona, necessariamente, offesa per le masse combattentistiche e lavorative italiane, impegnate per il raggiungimento della vittoria». Il provvedimento riguarda tutti gli ebrei di ambo i sessi, dai 18 ai 55 anni, compresi i discriminati. Le mansioni devono essere preferibilmente manuali; e comunque non devono rientrare fra quelle già proibite agli ebrei. La paga prevista è inferiore di circa la metà del salario ordinario e verrà progressivamente ridotta fino a un quarto. Il Ministero degli Interni suggerisce inoltre lavori quali lo scavo e la pulitura degli argini, la pulizia delle strade, la raccolta delle mele e l'imballaggio della frutta ai mercati generali. Ma anche la rimozione di macerie: da quando siamo entrati in guerra contro gli Sta-

ti Uniti, le nostre città sono diventate un obbiettivo
costante dell'aviazione americana.

Questo tipo di precettazione riscuoterà però scarsissimo entusiasmo da parte dei prefetti per la difficoltà di usare una manodopera quanto mai eteroge-
nea per età e attitudini.

Il 16 e 17 luglio l'attenzione di Heydrich si sposta
da est verso ovest; e in Olanda e nella Francia occupata avvengono le prime deportazioni di ebrei «apo-
lidi» (lo sono tutti coloro emigrati dopo il 1919). Ma
a sorpresa, e resterà un caso unico in Europa, il 26
agosto sono arrestati dalla polizia francese diversi
ebrei residenti nella zona sotto il loro controllo; e dopo essere stati caricati sui treni, sono trasferiti oltre
la linea di demarcazione per essere consegnati alle autorità tedesche. Che li deporteranno a Auschwitz.

La protesta del clero francese non si fa attendere.
L'arcivescovo di Tolosa, Jules-Gérard Saliège, invia
una lettera ai sacerdoti della sua diocesi invitandoli
a manifestare dal pulpito il loro dissenso. Lo stesso
fa l'arcivescovo di Lione, Gerlier, e il vescovo di
Montauban, Pierre Marie. Nella diocesi di Lione diversi preti sono arrestati per aver letto la lettera del
vescovo ai loro fedeli e aver ospitato degli ebrei nei
locali della Chiesa. Padre Dilland (morirà a Dachau
per aver nascosto 80 bambini ebrei) già il 14 giugno
nella chiesa di Saint-Louis, a Vichy, aveva invitato i
fedeli a pregare per le migliaia di francesi scherniti e
obbligati a portare la stella gialla. A rischio della vita protestano a Parigi i parroci di Saint-Lambert e di
Saint-Etienne-du-Mont. Il parroco di Saint-Pierre
du-Gros-Caillou è lapidario: «La mia predica sarà

corta: so che forse mi costerà il campo di concentramento. Ma è mio dovere ripeterlo: Pio XI ha condannato il razzismo. Cosí sia».

Ma non tutti sono d'accordo; nel momento stesso in cui la lettera dell'arcivescovo di Tolosa arriva a destinazione, i vescovi di Nizza, di Monaco, di Fréjus, gli abati di Leyrins e di Frigolet, mandano un telegramma al maresciallo Pétain per dissociarsi da quei cattolici, cattivi patrioti, la cui apparente preoccupazione per gli ebrei maschera soltanto la loro mancanza di fedeltà al regime.

Il Vaticano tace. Il 30 luglio Harold Tittmann, rappresentante americano presso la Santa Sede in assenza di Myron Taylor, manda un telegramma al dipartimento di Stato a Washington per informarlo di aver cercato a piú riprese di attirare l'attenzione della Santa Sede sul fatto che l'assenza di qualsiasi protesta pubblica contro le atrocità naziste mette in pericolo il suo prestigio morale, mina la fede nella Chiesa e nella persona stessa del Santo Padre. Ma ogni richiesta di intervento, scrive ancora, non ha ottenuto alcun risultato.

Noi traslochiamo. È luglio e la giornata caldissima sembra dilatarsi tra il grigio dei palazzi e i rumori che salgono dalla strada. La guerra ha cambiato diverse cose nella nostra vita, anche se ancora non molte. Non ci sono piú le Fräulein che ci pulivano ostinate le orecchie con l'ovatta, al loro posto una signora rumena dovrebbe continuare a insegnarci il tedesco; ma la signora Olteanu ci parla piú spesso e volentieri in francese. Annemarie si è sposata e al suo paese ha dei bambini con i suoi stessi occhi color cielo a cui allac-

cia grembiulini orlati da passamani fioriti. Suo marito combatte da qualche parte in Europa.

L'oscuramento ha reso silenziosa la città la sera e
le persiane vengono chiuse al crepuscolo perché neanche un filo di luce segnali la nostra presenza al ne-
mico. Nell'appartamento al di là della strada le tende non lasciano scorgere piú nulla. Io ho dimenticato il sapore della cioccolata e anche quello delle
banane che tanto mi piaceva mordere a merenda; ma
non conosco ancora la fame. La Millecento con i se-
dili di pelle rossa ha le bombole di metano sul tetto
e la usa soltanto papà per l'ufficio. L'Astura è in ga-
rage, ferma. Io ho appena dato l'esame di quinta elementare senza che nessuno mi chiedesse di mettere
la divisa da piccola italiana, che peraltro non ho mai
posseduto.

Ma in questa radiosa mattina di luglio noi traslochiamo, è una mattina importante. I mobili sono stati portati via e la cucina smontata, Italia e Letizia
hanno seguito le nostre suppellettili aggrappate alla
sponda del camion e ora le pareti a rami di pesco mostrano, nude, tutte le ferite del tempo, i rumori si am-
plificano nel vuoto, la casa intera sembra vibrare
mentre imbarca ondate di afa e di polvere. In
quell'afa e quella polvere la signora Della Seta in piedi regge un piatto di metallo su cui è adagiata una spigola lessa. Per noi ragazzi in questa giornata di confusione. Un pesce che non si sa con quanta fatica lei
è riuscita a procurarsi e noi mangeremo nella nuova
casa tra l'odore dei pini e il frinire delle cicale. L'aria
che entra dalle finestre spalancate fa appena ondula-
re la sua gonna di seta plissé, solleva qualche capello
grigio sulla sua fronte pallida. I tratti del viso si can-
cellano nella grande luce di luglio, si perde il contat-

to delle sue mani e il timbro della voce nel grande silenzio che la circonda. Questa è l'ultima volta che la vedo e appoggio le labbra sulla sua guancia rugosa.

Nessuno ancora sa che un interrogativo smisurato nascerà dalla sua immagine muta mentre ci consegna quel pesce adagiato fra ciuffetti di prezzemolo verde. In quella giornata di luglio la sua immagine si è dissolta lasciando nella memoria un'impronta quasi fosse stampata in trasparenza su una garza, senza che sia possibile, mai piú, ritrovarne il corpo che intercettava la luce o il movimento di quando si sedeva in salotto, il fruscio della gonna. Solo quella spigola lessa, quella sí, anche se divorata in poche battute, le palline bianche degli occhi che rotolavano nel piatto.

Dopo eravamo passate eccitate da una stanza all'altra nel nuovo odore di erba gialla di sole, avevamo tirato fuori dalle casse i piatti, la spazzola e lo specchio, i giocattoli-feticcio che ci eravamo portati appresso in questa nuova casa dove i pini sembravano strabordare nelle stanze ancora immacolate. E in un tramonto che non aveva mai fine, caldo, estenuante, ci eravamo sporte dalla terrazza a guardare uno degli operai che aveva costruito la casa innaffiare il suo orto di guerra; stanche e un poco stordite, noi abituate al rumore e al grigio di via Flaminia, da questo nuovo orizzonte di pini e cicale, di colombi bianchi che si levavano in volo al di là del muro di cinta di un convento. L'uomo pescava l'acqua con un vecchio barattolo di vernice affondandolo nella vasca di mattoni dove si erano un tempo abbeverati i cavalli e due bimbetti dalle brache rappezzate lo aiutavano a farla scorrere tra i filari di pomodori. Noi li guardavamo cercando i punti di congiunzione, il contatto, come due dita che dovessero incontrarsi, con quanto era nuovo, diverso, e doveva da ora in avanti diventare familiare. Cieche, ottuse sul vero significato di questa interminabile giornata.

Senza sospettare che quell'immagine rimasta nella casa vuota a custodia del nulla si insinuava inavvertita nella nostra coscienza con il suo piatto di metallo, la sua gonna di seta plissé. Presenza tenace e inoppugnabile che ripropone ancora oggi senza risposta possibile quella domanda: «Perché lei? Perché quell'interminabile atroce viaggio verso la morte?» Perché non si è messa al sicuro in tempo e non ha alleggerito di questo ingombrante fardello noi, cattolici, apostolici, romani, battezzati in San Pietro. Cresciuti nell'amore di Cristo, nel ricordo della sua Passione.

Cosa albergava mai nella testa di quelle sciocche bambine non piú tanto bambine (io ho undici anni, mia sorella maggiore sta per compierne quattordici) che hanno appena cambiato casa e in quella sera di luglio si pettinano come dive davanti alla toilette della loro nuova stanza, ognuna la sua, con i mobili chiari disegnati da un architetto di grido. Chi, cosa chiediamo a Dio, ammesso che Dio ci ascolti in quell'estate, noi che la domenica seguente andiamo a messa nella chiesa di San Bellarmino e offriamo l'esempio di una famiglia modello mentre insieme a papà e mamma seguiamo nel messale l'Epistola di San Pietro che recita «Carissimi, siate tutti uniti, siate compassionevoli, animati da amor fraterno, misericordiosi, modesti, umili... Poiché gli occhi del Signore sono rivolti sui giusti e le sue orecchie alle loro preghiere... Del resto se avrete sofferto qualcosa per la giustizia sarete beati. Non abbiate alcun timore né vi turbate di coloro che vi nuociono...» E dopo sedute nei banchi ascoltiamo la predica che con poche varianti ripete sempre gli stessi concetti, le medesime esortazioni che resistono corazzate a ogni coinvolgimento personale. Parole che navigano su per la volta blu e oro di mosaico simili a pesciolini in un acquario per perdersi in alto nella noia piú assoluta.

Ancora quell'interminabile 1942. Ad agosto Gerhard Riegner, rappresentante a Ginevra del Congresso Ebraico Internazionale, trasmette a New York, attraverso l'ambasciatore americano a Berna, un primo documento sulla soluzione finale. Si cerca di nuovo di far prendere una posizione pubblica al Papa, ma nulla smuove l'incrollabile silenzio di Pio XII. Sempre ad agosto Kurt Gerstein, un ufficiale che è riuscito a infiltrarsi fra gli alti ranghi delle SS, porta con sé una relazione dettagliata e agghiacciante di quanto accade ad Auschwitz, e di cui è stato testimone diretto. Va alla Nunziatura a Berlino e chiede di essere ricevuto da monsignor Orsenigo; ma il Nunzio, alla notizia che ad aspettarlo c'è un militare, gli fa dire che non può riceverlo. Il colonnello Gerstein affida allora la sua relazione al consigliere giuridico dell'arcivescovo di Berlino perché venga trasmessa in Vaticano. Incarico che l'arcivescovo Preysing si affretta a eseguire.

Quell'agosto, racconta suor Pascalina nelle sue memorie, Pio XII in vacanza a Castel Gandolfo aveva scritto un intervento molto duro da far pubblicare sull'«Osservatore Romano», una sua fittissima protesta per denunciare le atrocità naziste; ma alla noti-

zia che in seguito all'intervento pubblico dei vescovi olandesi i tedeschi, per rappresaglia, avevano inviato nelle camere a gas 40 000 ebrei, aveva brucia-
to nel grande camino della cucina i fogli pronti per
essere spediti. Suor Pascalina lo descrive, Pio XII,
pallidissimo, mentre il fuoco divora le pagine. Cosa
c'era scritto su quei fogli nessuno l'ha mai saputo e
Pio XII non ne ha lasciato traccia. Ma la prima domanda che viene spontanea è: allora Pio XII,
nell'agosto del 1942, sapeva dello sterminio finale e
delle camere a gas? A dare retta alle memorie di suor
Pascalina, la risposta è sí.

Alla prima domanda ne segue subito una seconda.
I documenti pubblicati in questi ultimi anni riportano la medesima vicenda dei vescovi olandesi in maniera differente: l'11 luglio 1942, alla notizia che gli
ebrei saranno deportati, i vescovi cattolici olandesi
insieme ai rappresentanti delle Chiese Riformate
mandano un telegramma al governatore Arthur
Seyss-Inquart: «Costernati dalle misure che sono state prese in Olanda contro gli ebrei, escludendoli dalla Comunità, le Chiese qui rappresentate hanno ap-
preso con profondo orrore le nuove misure che condannano degli uomini, delle donne, dei bambini alla
deportazione in Germania o nei paesi attualmente
sotto suo controllo. Le sofferenze che cosí vengono
causate a decine di migliaia di persone, la certezza
che queste misure offendono il senso morale piú
profondo del popolo olandese, l'opposizione alle leggi di Dio concernenti la giustizia e la misericordia, ci
obbliga a indirizzarvi un appello molto pressante perché queste misure non vengano eseguite. Inoltre, dato che riguardano i cristiani di origine ebrea, il nostro appello si fa ancora piú insistente, perché que-

sta decisione li esclude dalla vita della Chiesa». Il 14 luglio Schmidt, aiutante di Seyss-Inquart, convoca il pastore Dijckmeester, segretario *ad interim* del Sinodo Generale, e lo informa che i convertiti prima del 1941 non saranno deportati (all'incirca 1500 fra cattolici e protestanti). Dijckmeester ringrazia ma deplora che il provvedimento non riguardi tutti gli ebrei, battezzati e no. Subito dopo cattolici e protestanti si riuniscono di nuovo e preparano una lettera da leggere in chiesa domenica 26 luglio, insieme al telegramma a Seyss-Inquart. Seyss-Inquart, informato di questa lettera collettiva, convoca Dijckmeester e gli proibisce di menzionare il telegramma e di renderne noto il risultato perché l'accordo deve restare segreto. Il 24 il Sinodo Generale si dichiara favorevole nell'accettare la richiesta. I preti cattolici invece leggono in chiesa la lettera cosí come era stata concordata in un primo momento, menzionando il telegramma. Il 2 agosto Schmidt, in un discorso riportato dai giornali il giorno seguente, dichiara che se il clero cattolico non tiene alcun conto delle trattative, loro si sentono obbligati a considerare gli ebrei cattolici come i loro peggiori nemici, e si devono preoccupare di trasferirli subito all'est. Questo, annuncia Schmidt, è già stato fatto.

I circa 700 ebrei protestanti si salvano. Per il momento.

Dopo le fatiche del trasloco, come tutti gli anni, siamo andati in villeggiatura. Anche se una villeggiatura ridotta. Flaminia e i suoi genitori non sono piú tanto di moda, forse le questioni politiche hanno finito per pesare. Noi siamo a Rapallo e lo zampirone fuma sulla finestra a tenere lontane le zanzare che la notte salgono dal canale. Le sere sono buie ma la luna e le stelle si riflettono nel mare e illuminano la spiaggia, disegnano le palme e i bambini che si rincorrono. Noi usciamo a passeggio; siamo una piccola comitiva di ragazzi e ogni sera seguiamo il lungomare fino a quando, a una curva, la strada svanisce di colpo nell'oscurità di un giardino fitto di alberi. Qualche volta cantiamo: *Giarabub*, *Quel mazzolin di fiori*; ma anche vecchie filastrocche di bambini. Al cinema danno *Süss l'ebreo*: il manifesto offre allo sguardo il «giudeo» con la veste lercia e il naso adunco, la «carnagione color mota verdiccia di palude» come piace a Papini. Nessuno di noi va a vederlo. Qualche pomeriggio affittiamo una bicicletta e pedaliamo lungo la strada che sale verso Santa Margherita per fare merenda all'ombra dei castagni, per lo piú pere o uva. Dietro di noi, in bicicletta, arranca la signorina Giampietro addetta alla nostra incolumità. Noi siamo stufe di Fräulein e di governanti, il seno inizia a sollevare le magliette delle mie sorelle maggiori e vogliamo sentirci libere. Cosí la depistiamo. La Giampietro ci cerca, grida a turno i nostri nomi, noi nascondiamo le biciclette e nell'ombra dei castagni ci divertiamo a guardarla pedalare su e giú sudata; qualche rara automobile che le strombazza dietro.

Il 14 agosto «L'Osservatore Romano» ricorda a modo suo padre Kolbe: «Padre Kolbe, – scrive, – è *silenziosamente* sparito un anno fa...»

Dal 1° ottobre, nei territori sotto giurisdizione del Reich, gli ebrei ancora non deportati non hanno piú diritto a carne, salumi, uova, prodotti di grano, latte, verdure, legumi e frutta. In compenso possono avere ogni settimana mezzo chilo di rape a testa.

L'8 ottobre l'arcivescovo di Berlino Preysing protesta in chiesa per le persecuzioni di cui è vittima il suo clero. Molti sono i preti espulsi, dice, i noviziati e i conventi chiusi, diverse le chiese vietate al culto. Le scuole cattoliche sono state soppresse e tolti i crocifissi dove stavano da secoli. Ma la sua protesta rimane confinata nel perimetro della diocesi. È un suono afono che non trova rimbalzi per prolungarne l'eco.

L'8 novembre gli americani, al comando del generale Eisenhower, sbarcano in Nord Africa e i tedeschi, per evitare una reazione di affratellamento tra i francesi al di qua e al di là del Mediterraneo, occupano anche la zona della Francia che fino a quel momento aveva goduto di una pseudo-indipendenza. Una piccola parte di territorio, compresa fra le Alpi e la Costa Azzurra, viene assegnata all'Italia. Immediatamente nella zona occupata dalle truppe del Reich, con una tecnica ormai collaudata, ha inizio l'arresto di tutti gli ebrei. Per sfuggire alla deportazione migliaia di perseguitati, grazie alla disponibilità delle locali autorità italiane, si rifugiano nell'esigua striscia che ci è stata assegnata. In poco tempo il numero degli ebrei passa da ventimila e quasi cinquantamila. Roethke, uno dei comandanti in capo delle SS in Francia, il 21 luglio si lamenta con Berlino: «L'atteggiamento italiano è ed è stato incomprensibile. Le autorità italiane e la polizia italiana proteggono gli ebrei con ogni mezzo in loro potere. La zona di influenza italiana, particolarmente la Costa Azzurra, è diventata la Terra Promessa per gli ebrei residenti in Francia».

Nel messaggio natalizio di quell'anno Pio XII nomina per la prima volta la catastrofe che ha colpito gli
ebrei. Poche righe alla ventiquattresima pagina di un
discorso di ventisei cartelle: «Questi voti l'umanità li
deve a quelle centinaia di migliaia di persone, che senza alcuna colpa da parte loro, per il solo fatto di ap-
partenere a una nazione o per la razza, sono destina-
te alla morte o alla progressiva estinzione». Subito dopo il discorso «stacca la spina» dall'argomento *razza*
per non riprenderlo mai piú. Prosegue infatti Pio XII:
«Questi voti, l'umanità li deve a quelle migliaia e migliaia di non combattenti, donne, bambini, infermi,
vecchi, ai quali la guerra aerea, di cui abbiamo già denunciato molte volte l'orrore, ha, senza distinzione,
privato della vita, dei beni, della salute, delle case, degli asili di carità e della preghiera...»

Piove e siamo nello stanzone al piano terra di un
albergo impropriamente e pomposamente chiamato
Grand Hotel Brusson, in un luogo di villeggiatura né
piú bello né piú famoso di altri dove in fondo alla valle scorre un torrente chiamato Evanson. È l'estate
del 1943. La fame è entrata con prepotenza nei nostri giorni, io non ho piú scarpe e indosso i sabot, gli
zoccoli delle contadine del luogo. Sono cresciuta e i
vestiti mi vanno corti e stretti, il tempo è scuro, fa
freddo, e l'euforia per la caduta di Mussolini il 25 luglio è passata da un pezzo. Giochiamo in gruppo a
mimare i film per ingannare la pioggia. Fra noi c'è un
ragazzo che si chiama Emanuele Muggia, non so da
dove venga e perché sia lí, forse è innamorato di mia
sorella Teresa, quasi ne sono sicura, tutti i ragazzi
prima o poi si innamorano di lei. Emanuele Muggia

è ebreo e mi infastidisce la sua scontrosità, lo stare
sempre sulla difensiva. Non mi è simpatico. Ma io
sono piccola e conto poco, sono sgraziata e un ingombrante apparecchio per raddrizzare i denti mi fa
sibilare quando parlo. Fra noi c'è anche Giorgio Boagno, ha diciassette anni e fra poco sceglierà la Repubblica Sociale, c'è Paolo Spriano che tutti chiamano Pillo. È spavaldo e ha una folta chioma arruf-
fata, sua è la ragazza più carina, anche se lui è male
in arnese e delle scarpe da tennis gli è rimasta solo la
tomaia. Paolo farà la scelta opposta a quella di Giorgio Boagno, e determinante sarà vedere Primo Levi
portato giú in catene dalle montagne sopra Brusson.
   Ma tutto questo deve ancora avvenire, noi siamo
ancora nel limbo; solo Emanuele ne è fuori, più vicino all'inferno. Mia sorella gli si avvicina e gli prende
un lembo del risvolto della giacca, poi lo guarda pro-
vocatoria e lo stringe, quel lembo, fino a formare tra
le dita un piccolo orecchio di porco. Lei non sa che
quel gesto è offensivo, spregiativo per un ebreo. Ec-
co, adesso sembra proprio un piccolo orecchio di
maialino, e lei ride. È un attimo, il rumore secco dello schiaffo irrompe nel nostro piccolo universo come
una palla di fuoco. Ma prima che qualcuno possa aprire bocca, Emanuele è già uscito sbattendo la porta.
Mia sorella ha gli occhi pieni di lacrime e gira intorno sgomenta lo sguardo. Un ragazzo ridacchia. Forse è quello che l'ha incitata a quel gesto derisorio e
crudele, a dirle dài, provaci, è soltanto uno scherzo...

   Da Brusson siamo partiti per andare in campagna
nel Monferrato, stipati sulla corriera come in una
gabbia di polli. Dopo siamo saliti su un treno dove

gli unici posti liberi erano sul carro merci e noi ragazze ci siamo sedute con le gambe a penzoloni nel
vuoto. Un viaggio di un'intera giornata per fare poco piú di 100 chilometri. In pianura è ancora caldo,
ancora estate, e noi ci divertiamo a guardare fuori da
quell'insolita posizione. Le stazioni si susseguono lentamente una all'altra e a un certo punto, non ricordo
piú dove, mentre siamo fermi sul binario, passa un
treno sferragliando veloce sulle rotaie: è il treno reale che riporta a Roma la principessa di Piemonte con
i principini.

È un settembre pieno di luce, un sole caldo e obli-
quo matura l'uva lungo i filari sulle colline, scalda la
vecchia porta di legno verde della casa. Dopo la fame abbiamo di nuovo pane bianco, burro, latte. Le
nostre biciclette sono state tirate giú dalla soffitta e
pedaliamo in lungo e in largo per i viottoli polverosi
tra i campi dove il granturco è alto, sguazziamo con
i piedi nudi nell'acqua delle canalette lungo i filari di
pioppi inseguendo le rane che ci saltano tra le dita,
ridiamo delle cose piú stupide. L'armistizio è alle porte, ma noi non lo sappiamo e quei giorni ci sembrano i primi di una lunga stagione; finché quell'8 settembre non ci arriva addosso come un boomerang.
Come se stanasse da un tranquillo formicaio miriadi
di voci, di richiami, un viavai frenetico, speranzoso
e pavido, euforico e privo di scopo. La mattina dopo
un ragazzo che è nostro ospite sale sulla prima corriera perché deve presentarsi al Distretto Militare di
Alessandria; e in mancanza di ordini precisi, vale forse la cartolina precetto. Alle undici, nell'incrociarsi
delle notizie contraddittorie, l'euforia generale ha già
subito un primo tracollo. All'una, quando dal viale
vediamo sbucare il nostro sfortunato ospite, sudato

e stravolto, è la fine. Del suo bagaglio ha soltanto lo spazzolino da denti e si è fatto a piedi quasi 20 chilometri dopo che una barchetta lo ha fortunosamente traghettato sul Tanaro. Racconta che ad Alessandria i tedeschi presidiano i ponti e alla stazione arrestano chiunque abbia addosso una divisa, i militari italiani sono per ora asserragliati nella cittadella.

Piú tardi alcuni soldati in fuga vengono a chiedere dei vestiti per potersi disfare della divisa e tornare a casa. E quando si sparge la voce che i tedeschi stanno arrivando anche da noi, io faccio un fagotto con il diario e le scarpe da tennis che sono il mio bene piú prezioso, dentro metto anche un pacco di assorbenti. Anche quelli, se non come le scarpe da tennis, hanno un loro preciso valore. Al tramonto due tedeschi su una motocicletta con il sidecar passano rombando attraverso il paese; e senza neanche fermarsi svaniscono lungo la strada per Occimiano. Ho disfatto il fagotto un poco delusa e papà ha ordinato di prepararci per tornare subito a Roma. Gli alleati sono sbarcati a Salerno e lui è sicuro che a Roma arriveranno in pochi giorni (ci metteranno invece nove mesi). La mamma aiutata da Italia e Letizia ha cominciato a riempire una valigia di pere e un'altra di noci, ha fatto incartare le uova e i polli e lo spedizioniere è venuto a prendere il baule. Ma mio fratello non vuole tornare a Roma, dice che là moriremo tutti di fame. La mattina dopo va alla stazione di Giarole a fermare tutto: non si parte piú. Riprende la sua bicicletta nuova, una Wolsitt argento pronta per essere spedita, e con quella sparisce su per le colline verso Mosa. È una giornata senza nuvole e le ombre tiepide di settembre strisciano sul muro dove le scritte in latino sopra le finestre invitano alla pace e al riposo, sedute sui gradini noi schiacciamo un'ultima noce con un improvviso senso di precarietà. Intorno è un brulicare di passi, di colpi di battipanni, di ordini e di contrordini. Ma a un tratto la collera di papà deflagra, fredda, precisa come quella di Dio che vede sa e punisce. A me tocca uno schiaffo (il secondo della mia vita) perché non voglio «fare la spia» e dire dove mio fratello si è nascosto. Non piango. Senza urla e senza spreco di parole viene richiamato lo spedizioniere e gli viene ingiunto di recarsi immediatamente alla stazione di Giarole a spedire il baule. Il programma non cambia: si parte quella sera stessa. E prima di sera mio fratello è di nuovo a casa, affamato e impolverato. L'uva nei campi è già stata vendemmiata e i contadini sono asserragliati nelle loro case, lui è digiuno dalla mattina.

(In seguito mio fratello scapperà un'altra volta. A diciassette anni, mentendo sull'età, si arruolerà volontario nell'Esercito di Liberazione Nazionale. Anche quella volta tornerà bagnato e sconfitto alla sera, infreddolito, affamato, dopo una giornata di convulse ricerche da parte dei miei genitori. Si ironizzerà a lungo in famiglia su questa seconda fuga mancata, sull'eroe senza eroismo; ma a distanza di tempo quell'avvenimento ha assunto un significato diverso e mi appare oggi come il solo generoso tentativo di prendere parte al dolore e alla fatica comuni, comuni nel senso «di tutti». Un tentativo, anche se goffo e maldestro, di uscire fuori dal cerchio protettivo della famiglia dove ogni cosa si raccoglie e si consuma all'interno: valori, idee, sentimenti. Lui, solo fra noi, ha sentito l'impulso di mettere in gioco se stesso. Ci ha provato: chiudendosi silenzioso la porta alle spalle mentre fuori pioveva a dirotto e neanche si capiva

se era giorno. Questa volta in tasca portava pane e
salame, ma non è servito).

Una carretta cosí detta «berlina» ci ha portato fino a Giarole a prendere uno degli ultimi treni a non
essere mitragliati. Ancora una volta papà ha avuto
ragione. Attraverso le logore tendine gialle abbiamo
guardato sparire un poco sgomente la campagna deserta in un tramonto pieno di luci sul profilo lontano delle Alpi. Non ricordo piú il viaggio fino a Roma, ricordo solo la visione ininterrotta di case sven-
trate, stanze spaccate come mele guaste che
mostravano la carta da parati, a volte ancora qualche
quadro in bilico, un lavandino, la cappa di una cucina. Ricordo una venerabile vettura dove gli sportel-
li si aprivano all'interno degli scompartimenti. Le soste interminabili nelle stazioni con lo sguardo inchiodato sui vagoni sventrati o rovesciati fra mucchi
di rotaie divelte, l'attesa spasmodica dello strappo
della locomotiva che rimetteva in marcia il treno. Il
fumo del carbone che aveva reso le nostre narici nere, nere le dita che si aggrappavano al finestrino per
guardare fuori, nero il collo della camicetta e il fazzoletto da naso.

A Roma i tedeschi sono ovunque. Dopo la spara-
toria a Porta San Paolo che ha visto morire nella difesa della città pochi e disperati soldati insieme ai loro ufficiali, il 10 ottobre il generale Stahel ne è diventato il padrone. Il giorno stesso Pio XII ha fatto
avere all'ambasciatore tedesco Ernst von Weizsäcker,
da alcuni mesi subentrato a von Bergen, un do-

cumento in cui si chiede di rispettare la Città del Vaticano e quali misure si intendono adottare per la sua sicurezza. Un secondo documento segue subito dopo in cui si dichiara che nelle trattative per l'armistizio il Vaticano non ha svolto alcuna parte.

A Mirabello i due tedeschi in motocicletta sono tornati e con loro un intero comando che si è installato nella nostra casa; e nel grande letto matrimoniale in camera della mamma dorme adesso un capitano della Wehrmacht con la sua giovane amante. Io sono molto preoccupata perché nel diario che ho dimenticato nascosto sopra l'armadio c'è scritto: W Badoglio, Ⱥ Mussolini.

Anche il convento di clausura di via Salaria è stato requisito e nell'orto, dove ancora a luglio potevamo sentire la campanella suonare l'Angelus, i soldati tedeschi in camicia tagliano la legna e i piccioni zampettano indisturbati tra i solchi dell'insalata abbandonata in fretta. Malinconiche sentinelle azzardano qualche complimento alle donne che al crepuscolo passano frettolose davanti all'austero portone nero. Noi siamo tornate a scuola. Il 16 ottobre è il nostro secondo giorno.

A informare papà è il portiere: i Levi sono stati portati via dalle SS quella mattina alle sei. Dei Della Seta, Domenico non sa niente; da alcuni giorni hanno lasciato la casa senza avvisare nessuno.

Ma i Levi e i Della Seta si erano già impalliditi nel mio ricordo e la mia attenzione si era concentrata su quanto la mamma andava raccontando di una donna che aveva appena partorito, e ancora in camicia da notte era stata costretta dalle SS a salire su un camion, ma nel momento che veniva spinta su, nella confusione degli ordini e delle grida, aveva buttato

il suo bambino in fasce fra le braccia di un attonito
e sgomento passante. E mentre la mamma parla mi
sembra di vederla quella donna, disperata e spetti-
nata, cosí come deve averla vista chi si trovava a passare di lí e ha assistito impietrito alla scena.

Nel censimento del 1938 gli ebrei romani erano
circa 12 000 (il censimento che elencava 13 376 «persone di razza ebraica» comprendeva l'intera provincia). Nell'ottobre del 1943 è difficile sapere quanti
ne erano rimasti, e quanti invece erano confluiti dal
nord nella speranza che Roma fosse piú sicura. All'alba del 16 ottobre i tedeschi riuscirono a catturarne
1259. Era sabato (sempre il sabato sceglievano i tedeschi perché sapevano che era piú facile trovare le
famiglie riunite) e dalle quattro del mattino avevano
cominciato a sparare fra le strade del ghetto per impedire a chiunque di uscire. Tutto si è svolto con
estrema velocità. Svegliati con dei forti colpi alla porta, gli uomini, le donne, i vecchi e i bambini, hanno
avuto venti minuti di tempo per vestirsi e radunare
il cibo per otto giorni, fare una sommaria valigia e
prendere il denaro che avevano in casa (denaro che
lestamente i tedeschi provvederanno a portargli via
fino all'ultima lira). Una operazione-lampo compiu-
ta da 365 SS arrivate la sera prima sotto il comando
di Theodor Dannecker che già dai primi di ottobre
si era installato in alcune stanze di un modesto albergo a via Po per studiare la situazione. Di questi
1259 ne verranno liberati alla sera 237 perché non
ebrei, coniugi ariani o figli di matrimonio misto, o
perché appartenenti a Stati neutrali. Dei 1023 deportati del 16 ottobre, ne ritorneranno 17 (la 1023ª

fu Costanza Calò Sermoneta che al momento dell'arresto della sua famiglia non era in casa e raggiunse disperata la stazione Tiburtina dove ottenne di salire sullo stesso convoglio del marito e dei figli). Ai 1023 deportati il 18 ottobre, vanno aggiunti altri 723 ebrei arrestati a Roma durante i seguenti otto mesi di occupazione tedesca. Di questi 75 saranno uccisi alle Fosse Ardeatine e 4 nel campo di Fòssoli. I restanti 644 saranno deportati anche loro a Auschwitz.

Il 16 ottobre, quando l'operazione *Judenrein* è avvenuta, si può dire, sotto gli occhi del Papa, a poche centinaia di metri in linea d'aria da San Pietro, in Vaticano c'è stata molta agitazione e il Segretario di Stato ha convocato l'ambasciatore Weizsäcker. L'incontro è stato abbastanza amichevole e dopo aver ascoltato le proteste di monsignor Maglione, l'ambasciatore ha chiesto: «Che farà la Santa Sede se le cose dovessero continuare?» La risposta è stata quanto mai diplomatica: «La Santa Sede non vorrebbe essere messa nella necessità di dire la sua parola di disapprovazione...»

Racconta Renzo De Felice di quel 16 ottobre nel suo libro sugli ebrei italiani durante il fascismo: *Appena avuto notizia della razzia la Santa Sede fece fare due passi semiufficiali presso i tedeschi, l'uno da Monsignor Hudal, rettore di Santa Maria dell'Anima e l'altro dal padre Pfeiffer, della Società del Divin Salvatore, facendo loro notare – come risulta dalla lettera di Monsignor Hudal al generale Stahel, comandante militare di Roma [era il generale Stahel un cattolico praticante, bavarese come padre Pfeiffer] – che "nell'interesse dei pacifici rapporti tra il Vaticano e il Comando militare tede-*

sco" era opportuno che gli arresti fossero immediata-
mente sospesi, e facendo capire che non era da esclude-
re "che il papa finisca per prendere ufficialmente posi-
zione contro questi arresti". Secondo un documento di
P. Duclos, i due passi sortirono il risultato voluto: il gior-
no 17 monsignor Hudal era informato dal comandante
tedesco di Roma che Himmler, conosciuta la presa di po-
sizione del Vaticano, aveva dato istruzione di sospende-
re gli arresti. Oltre questi due passi semiufficiali Pio XII
non volle assolutamente andare, destando in un certo sen-
so lo stupore degli stessi nazisti. Il 17 ottobre l'ambascia-
tore Weizsäcker, riferendo a Berlino la costernazione pro-
vocata dagli avvenimenti del giorno precedente in Vati-
cano e dando notizia delle pressioni che venivano
esercitate sul Papa per farlo uscire dal suo riserbo, non
escludeva la possibilità che Pio XII si inducesse a qualche
presa di posizione. Il 28 ottobre lo stesso Weizsäcker po-
teva rassicurare definitivamente il ministero degli Esteri
di Berlino: "Benché premuto da più parti, il Papa non si
è lasciato trascinare ad alcuna riprovazione dimostrativa
a proposito della deportazione degli ebrei di Roma"».

L'unica reazione ufficiale fu uno sbiadito fondo
sull'«Osservatore Romano» del 25-26 ottobre, quando già gli ebrei deportati da Roma erano in maggioranza morti da due giorni nelle camere a gas di Auschwitz-Birkenau. In uno stile contorto e confuso il
giornale metteva in evidenza che il Papa faceva beneficiare tutti della sua paterna sollecitudine, senza
distinzione di nazionalità, di razza, di religione. E
che la molteplice e continua attività di Pio XII era
ancora aumentata negli ultimi tempi, perché maggiori
erano le sofferenze di tanti infelici.

E se non ci fu più nessun blitz come quello della
mattina del 16, la quotidiana e capillare caccia agli

ebrei ha continuato a Roma indisturbata, se è vero che nei restanti nove mesi di occupazione ne sono stati arrestati altri 723. Una caccia organizzata in questa seconda fase da Hans Gasser, ma soprattutto dalla stessa questura italiana di Roma.

Gli Istituti religiosi lasciati liberi di accogliere chiunque fosse in pericolo hanno ospitato generosamente bambini e adulti, battezzati e no. Solo a Roma sono stati 155: 100 conventi di suore e 55 di preti. Viveri e indumenti arrivavano tramite il Vaticano per chi ne aveva bisogno. E se l'andamento della guerra era tale da presupporre in un futuro non lontano la sconfitta tedesca, considerazione che faceva inclinare la bilancia a favore dei perseguitati, possibili giustizieri di domani, è anche vero che la prospettiva di una disfatta aveva incattivito ulteriormente, se possibile, i tedeschi. I rischi nell'ospitare gli ebrei esistevano. Se non vi furono incidenti, a parte l'irruzione da parte della polizia fascista che la notte dal 3 al 4 febbraio forzò le porte del convento dei benedettini annesso alla basilica di San Paolo, arrestando 64 persone tra cui 9 ebrei, molta paura la ebbero di sicuro in più di una occasione tutti quei religiosi che davano asilo a ospiti tanto pericolosi. Per loro fortuna Stahel e Dollmann avevano già sufficienti difficoltà a mantenere l'ordine a Roma per non rischiare incidenti con il Vaticano; e fino all'arrivo degli alleati non ci fu da parte tedesca alcun serio tentativo di andarsi a prendere gli ebrei oltre le mura dei conventi. Nessun religioso è stato arrestato o deportato per averli ospitati, come è invece avvenuto in altri paesi sotto regime nazista. E per tutta la durata dell'occupazione le automobili targate Città del Vaticano hanno circolato liberamente e in tutta sicurezza mentre le sentinelle tedesche, richieste da Pio XII, hanno vigilato sull'incolumità del minuscolo Stato.

Esiste un libro di Shlomo Breznitz, uno psicologo ebreo che insegna alla New School for Social Research di New York, che era bambino in Cecoslovacchia durante gli anni di guerra. I genitori, morti poi a Auschwitz, erano riusciti a farlo accogliere in un orfanotrofio tenuto dalle suore di un piccolo paese vicino a Bratislava: Zilina. Racconta Shlomo Breznitz ne *I campi della memoria* che nell'aprile del 1945 i tedeschi si presentarono al convento per prelevarlo ma le suore lo nascosero sotto un materasso in infermeria. I tedeschi, non trovandolo, sicuri che fosse nascosto lí, tornarono dopo poco con i cani per stanarlo; ma la Superiora si mise davanti alla porta e cominciò a gridare. Molti anni dopo Breznitz, divenuto adulto, è tornato al convento di Zilina per sapere cosa mai avesse gridato la superiora per impedire ai tedeschi di entrare a prenderlo. Ma la superiora era morta e nessuna suora era piú in grado di dirgli nulla, e forse nessuno aveva mai saputo quali parole avesse gridato. Ricordavano soltanto che si era messa sulla porta a impedire l'ingresso, e aveva gridato e gridato, senza curarsi di quei cani che le ringhiavano contro, pronti a saltarle addosso. «Il fascino di nascondersi è poca cosa, – scrive Breznitz, – in confronto al mistero del coraggio, soprattutto quando è a favore degli altri. È quando la paura impone di fuggire e la mente di rimanere, quando il corpo impone di salvare se stesso e l'anima di salvare gli altri, che avviene la battaglia tra il coraggio e la paura, la sua eterna compagna».

C'è ancora una domanda che aspetta una risposta: come mai i Levi, quando già le deportazioni senza ritorno erano una realtà, non si sono messi in salvo in tempo?

Per loro sfortuna la stupida e feroce astuzia tedesca ha certamente giocato un ruolo non secondario. Il 26 settembre Herbert Kappler, comandante delle SS a Roma, aveva chiesto alla comunità israelitica cinquanta chili d'oro, pena la deportazione immediata di 200 ebrei. Cinquanta chili che era stato possibile mettere insieme con grandi sacrifici tra gente che era già stata spremuta in tutti i modi dalle leggi razziali e dalla miseria della guerra, e alla cui raccolta contribuirono anche diversi «ariani» che si presentarono al Tempio offrendo chi un anello, chi una catenina o un braccialetto (Pio XII si offrí di prestarne 12, di chili, che la comunità avrebbe potuto restituire con comodo. Ma non ce ne fu bisogno). E se l'odio antisemita dei nazisti era tristemente noto, non sembrava attribuibile ai tedeschi una frode tanto maramalda e disonorante. La crudeltà sí, la mancanza di parola no. Si presentavano, i nazisti, come l'emblema di un ordine cieco e assurdo, ma sempre ordine; e se per qualcosa erano tristemente noti, era per la spietatezza con cui esigevano che le regole venissero rispettate. Disubbidire all'ingiunzione che imponeva agli ebrei di dichiarare ogni spostamento di domicilio, poteva dimostrarsi piú pericoloso che cercare un rifugio precario da qualche parte. Che fossero piccoli commercianti del ghetto o appartenenti alla borghesia, il concetto della legalità era fra la comunità israelitica fortissimo e allungava radici nella loro stessa religione. Nei pochi anni intercorsi dall'Unità d'Italia, invece di indebolirsi, questo con-

cetto si era ancora rafforzato sotto la spinta di dimostrare la propria deontologia professionale. E i piccoli commercianti che dovevano la loro sussistenza
al rispetto delle regole nei confronti della propria
clientela, sono stati fra le vittime piú numerose di
quel 16 ottobre del 1943.

Per salvarsi ci sarebbe voluta una «malizia in piú».
Che i Levi non hanno avuto.

Ma a volte mi viene da pensare che non è questa
la sola ragione. Penso a noi e alla nostra casa affac-
ciata sui pini nel silenzio della sera, quell'orto ab-
bandonato dalle suore dove guardavamo i tedeschi
spaccare la legna. A mio padre che nel settembre del
'43 aveva chiuso l'ufficio per non collaborare con i
tedeschi e passava il pomeriggio con indosso una vecchia vestaglia della mamma a imbiancare di talco fogli e fogli di francobolli. Un modo come un altro per
cercare di mettere in salvo parte del patrimonio che
l'inflazione bruciava a grandi tappe. Anche noi ragazze, una volta scattato il coprifuoco, eravamo chia-
mate a collaborare e i fogli dai bordi lievemente ondulati si accumulavano in pile sul tavolo mentre fra
nuvole di talco l'immagine del nostro Re, transfuga
a Brindisi, si ripeteva all'infinito: verdolina, marro-
ne, amaranto.

Nove mesi ad aspettare quei soldati-fantasma, inglesi, americani, sudafricani, marocchini, polacchi,
canadesi, sempre vicini e sempre lontanissimi, che attraverso l'etere ci mandavano i loro rassicuranti mes-
saggi di bambini: «La pasta è cotta». «Luigi ha perso il quaderno». «Le mele sono mature». E nelle giornate terse, portati dal vento del sud, potevamo

sentire i tonfi sordi, intermittenti, dei loro cannoni affondati nel fango della palude pontina.

Il pomeriggio papà voleva che mi esercitassi al pianoforte almeno mezz'ora prima di andare a giocare nei prati sotto casa. Io poggiavo un libro sul leggío del pianoforte e per tutta la durata della mezz'ora, mentre le mani andavano su e giú sempre sulle stesse note, giravo una pagina dopo l'altra del romanzo su cui tenevo fisso lo sguardo; probabilmente senza capirci niente. Tanto per affermare la mia indipendenza. Subito dopo mi precipitavo giú dalle scale per raggiungere le mie nuove amiche: per me era una stagione fantastica anche se lo stomaco era quasi sempre insoddisfatto e le mani e i piedi mi prudevano dai geloni. Per paura dei bombardamenti le suore ci facevano uscire da scuola a metà mattina e la mamma passava le sue giornate ad arrovellarsi sulla moltiplicazione dei pani e dei pesci, incalzata dalla nostra fame vorace e insaziabile. Era rimasta la signora Olteanu, ma le difficoltà di spostarsi da una zona all'altra della città avevano ridotto le sue visite a due pomeriggi la settimana durante i quali, subito dopo mangiato, mi portava a passeggio a via Salaria. Parlavamo in francese, lingua che lei amava molto piú del tedesco, e mentre costeggiavamo il muro di cinta di Villa Savoia dove il bando di Kesselring mandava a morte chiunque si rifiutasse di servire la Repubblica Sociale, lei mi raccontava la sua giovinezza. Camminavamo e camminavamo, il suo passo deciso da vecchia ragazza risuonava nella strada semideserta lungo le alte mura scrostate, i cancelli rugginosi e sempre chiusi, e per il breve spazio di una passeggiata lei dimenticava la fame e le umiliazioni, lo strazio per i figli sperduti in qualche parte in Europa. E men-

tre via Salaria si perdeva nella campagna fra l'intri-
co dei sentieri desolati che scendevano verso l'Aniene, da sotto il turbante che le scivolava sul viso sma-
grito i suoi occhi scuri scintillavano nel ricordo di
grandi e sublimi sentimenti, di note di pianoforte e
di tramonti sul Mar Nero, infuocati e dolcissimi.

Per il resto era finalmente *Tana, liberi tutti!* Potevo non lavarmi, non pettinarmi, scavallarmi fino
all'ora del coprifuoco o leggere ore acciambellata su
una poltrona. Avevo smesso perfino di spogliarmi
quando andavo a letto e infilavo il pigiama sopra la
sottoveste senza togliermi neanche i calzettoni, cosí
la mattina dopo mi alzavo all'ultimo momento e in
tre minuti ero pronta con la cartella. La sera in ginocchio in camera della mamma la famiglia riunita
doveva recitare il rosario, quel talco che continuava
a aleggiare intorno incollato ai vestiti, ai capelli, alle
suole delle scarpe. Avevo sonno e mi si chiudevano
gli occhi, i misteri gaudiosi, dolorosi e gloriosi si snoc-
ciolavano nel silenzio profondo che arrivava col buio;
il raro stridere delle ruote di una macchina, il sob-
balzare di un tombino di fogna. Il fischio lontano di
un treno.

Cosa si aspettavano da noi i Della Seta? L'ingegnere Levi e quel ragazzo che amava suonare Chopin? Non avevano capito che l'inconcepibile poteva
diventare realtà perché riguardava, oscuramente, fa-
talmente, solo *loro*. I colpevoli senza colpa. Avreb-
bero dovuto sapere che nelle trattative diplomatiche
del Vaticano per cercare di sottrarre ai tedeschi parte del loro bottino umano, ogni sforzo si era concen-
trato in favore di chi aveva riconosciuto il *deicidio* e

si era *lavato dalla colpa*, chinando il capo sotto l'acqua del battesimo. Che gli ebrei che *si ostinavano a non convertirsi* sarebbero prima o poi diventati vittime del loro orgoglio e della loro perseveranza nell'errore. Un doloroso e ineluttabile destino li separava da *noi*.

Cosí è «nel mondo». Perché poi, nelle strade, tutto è stato diverso. C'è chi gli ha voltato le spalle con stolida indifferenza e c'è chi li ha traditi e venduti per cinquemila lire, tanto davano i tedeschi per ogni ebreo adulto denunciato; perché poi il prezzo scendeva a tremila lire se si trattava di una donna, e a mille per un bambino. Ma c'è anche chi non ci ha pensato due volte a rischiare la vita per salvarli.

Oggi conosco storie meravigliose di persone che hanno nascosto intere famiglie dividendo per mesi il miserabile scarsissimo cibo delle tessere annonarie e sentendosi gelare le ossa a ogni scampanellata sospetta. Mirella Calò era una bambina di quattro anni con tre sorelle poco maggiori di lei. Il pomeriggio del 15 ottobre uno stornellaro di quartiere, Romolo Balzani, avvertí suo padre, che aveva una bottega di sfasciacarrozze a via del Pellegrino, di alcune voci che giravano in questura secondo cui i tedeschi quella notte sarebbero andati a prendersi gli ebrei. Il padre abbassò la saracinesca e corse a casa, al Testaccio. Non aveva telefono e avvertí, come poteva, qualche parente. La moglie infilò alle bambine due paia di mutande, piú golf uno sull'altro, il cappotto, e uscí di casa senza toccare niente. Era già tardi, le strade si stavano svuotando, e non riuscendo a immaginare niente di meglio, il padre le portò tutte e cinque al bordello di via del Pellegrino dove la tenutaria si era detta disposta a nasconderle nella cantina per una notte. Poi cercò di mettersi in salvo scappando verso la campagna.

In quella cantina Mirella con la madre e le sorelle sono rimaste otto mesi. Uscivano solo alla sera in cortile, dopo il coprifuoco. La «signora» o il «signor Adolfo», quando tutti i clienti se ne erano andati, scendevano a portargli da mangiare. Nessuno in cantina durante il giorno poteva fiatare o fare il minimo rumore per via di quel via vai continuo per le scale, inclusi i soldati tedeschi; e per distrarre quelle quattro bambine condannate al silenzio, ogni tanto il «signor Adolfo» scendeva giú a giocare a carte. Cosí Mirella Calò a quattro anni ha imparato il «tresette», la «mariaccia», «briscola» e lo «scopone».

La zia di Mirella, Elisabetta, abitava anche lei al Testaccio. Avvertita dal cognato uscí per strada cosí come si trovava, con i tre bambini e la borsa. Stava per scattare il coprifuoco e in preda al panico si infilò in un tassí. Quando il tassista si voltò a chiederle dove doveva portarla «Che ne so, – rispose. – So' giudía e i tedeschi ce stanno a venní a prenne». Il tassinaro impallidí: «Madonna Santa, mò che ce faccio con questi?...» Ma dopo un attimo di sgomento durante il quale rimasero a fissarsi uno piú spaventato dell'altra, l'uomo rimise in moto e li portò tutti e quattro a casa sua dove c'erano la moglie e due bambini. E là sono rimasti anche loro per otto mesi, uno sull'altro in due stanze, nutriti con quel poco che la moglie di Ermete, il tassista, riusciva a rimediare.

A via degli Scipioni 35, angolo via Leone IV, dove la strada perde il suo carattere alto borghese con giardini e alberi di arancio per diventare una via di botteghe e palazzi umbertini, c'è uno di quei caseggiati con piú portoni dove al numero 35 abitava la famiglia Sermoneta: padre, madre, nonno e Rosetta, che aveva allora diciassette anni. La mattina del 16 ottobre, alle sette, la portiera accompagnò alla loro porta due SS. Mentre tutti e quattro si vestivano cercando di mettersi addosso piú indumenti pesanti possibili, una delle SS, dopo aver tagliato i fili del telefono e bucato le gomme della bicicletta, ritenendo che ormai tutto si stava svolgendo «regolarmente», se ne andò. La madre fece in tempo a raccogliere la biancheria migliore in una valigia e a consegnarla a degli sfollati che abitavano l'appartamento accanto. Dopo, davanti alla SS con il fucile imbracciato, scesero tutti e quattro nell'androne con quel poco bagaglio che potevano portarsi appresso. Il camion non era ancora arrivato, era umido, faceva freddo e piovigginava, alcuni negozi di alimentari avevano già le saracinesche tirate su e una piccola fila si stava allungando davanti al fruttivendolo. Rosetta ebbe il permesso di andare fino dal panettiere all'angolo a prendere il pane e tornò indietro dove i genitori con il nonno aspettavano sul portone. Qualcuno che si trovava a passare per la strada si era intanto avvicinato a quei tre in attesa con le valigie, sorvegliati dalla SS con il fucile spianato. Non era difficile capire cosa stava succedendo. In via degli Scipioni i Sermoneta li conoscevano tutti, in quella casa Rosetta era nata e fino a quando le leggi razziali non le avevano separate, ogni mattina aveva fatto la strada fino a scuola insieme alla figlia del fornaio all'angolo.

Il camion tardava; e nel giro di un quarto d'ora quei pochi che si erano avvicinati erano diventati un piccolo gruppo a cui si aggiungevano di continuo altre persone. La SS aveva allora spinto i Sermoneta sulla strada facendogli svoltare l'angolo su via Leone IV, sempre nella speranza di vedere arrivare il ca-

mion. Il gruppo che si era formato davanti al portone li aveva intanto seguiti e mentre il soldato tedesco continuava a far avanzare i Sermoneta con le valigie, si andava ancora ingrossando facendosi sempre
piú vicino. Compatto aveva traversato dietro a loro
viale Giulio Cesare, per poi svoltare su viale delle Mi-
lizie tra i grandi platani ingialliti dall'autunno. Altra
gente si avvicinava, qualcuno diceva «dài, scappa-
te!», ma i Sermoneta non trovavano il coraggio. A
un tratto una ragazzina afferrò Rosetta per la mani-
ca: era la figlia della donna che aveva il banco delle
verdure su viale Giulio Cesare. Di forza la tirò dentro un portone dall'altro lato della strada, ma la portiera spaventata le mandò via dicendo: no, no, qui
no. La piccola folla anonima aveva intanto chiuso in
mezzo la SS mentre la madre di Rosetta abbandona-
va in terra la valigia lasciando scivolare giú anche il
cappotto pesante che la ingombrava nei movimenti.
In un attimo padre, madre, figlia e nonno si ritrovarono a svoltare nella prima traversa a sinistra e poi
ancora a destra in via Giovanni Bettolo, dove entra-
rono nel primo portone che si trovarono di fronte.
Stavano scendendo nello scantinato, quando furono
richiamati su: un tassí con il motore acceso li aspet-
tava sulla strada. Non si seppe mai chi fu a chiamar-
lo, e da dove venisse. I Sermoneta erano troppo spa-
ventati per fare domande; il padre diede l'indirizzo
di casa del suo barbiere di piazza in Lucina che qualche tempo prima si era detto disponibile ad aiutarlo.

In casa del barbiere, al Testaccio, Rosetta e la madre restarono un paio di giorni mentre il padre e il
nonno furono ospitati dal parroco della chiesa di Santa Maria Liberatrice. In seguito tutti e quattro, se-
paratamente, cambiarono rifugio piú volte e Rosetta

abitò per diversi mesi nel convento delle Figlie della
Carità in piazza dei Quiriti dove la superiora, suor
Marguerite Bémes, già da tempo nascondeva altri ebrei
ed è oggi ricordata nello stato ebraico tra i Giusti di
Israele. (Si sa che la SS, in lacrime, tornò a via degli
Scipioni e suonò all'appartamento degli sfollati di fronte a quello dei Sermoneta suscitando un pandemonio:
voleva a tutti i costi portarsi via almeno la ragazza che
aveva piú o meno la stessa età di Rosetta).

In Danimarca su 5600 ebrei, i tedeschi sono riusciti a deportarne non piú di 513. Qualcuno avvertí
in tempo le vittime predestinate e i danesi si mobili-
tarono in massa per metterle in salvo al di là del breve tratto di mare che separa la Danimarca dalla Svezia. Ogni mezzo in grado di galleggiare fu conside-
rato buono. E la Svezia li accolse tutti, senza
limitazione di numero.

«Discriminare senza perseguire». Quale filo sottile per dividere gli uomini fra buoni e cattivi. Fra innocenti e colpevoli. Perché se poi altri si accanisco-
no nel «perseguire», questo riguarda loro, i carnefi-
ci. Non si era Pilato lavato le mani, dimostrandosi in
tal modo «innocente» della morte di Cristo?

Brucia dirlo, ma un orlo nero segna i nostri giorni
incolpevoli, senza memoria e senza storia. E se i Levi non si sono difesi e non sono riusciti a immaginare l'inconcepibile, è anche perché si consideravano,
al pari degli altri romani, partecipi di quella garanzia
che faceva di Roma una «città aperta». Per troppo
tempo avevano condiviso con *noi* giornate tristi e fe-
lici, paure, viltà, speranze. Erano saliti e scesi per le
medesime scale, avevano bevuto lo stesso tè e girato

il cucchiaino nella tazza parlando la medesima lingua:
in senso lessicale, ma anche nel senso dei sentimenti. Troppo tempo, per sentirsi *altri*. Come immaginare quella mostruosa solitudine davanti alle SS, a
quegli ordini che senza inflessione nella voce, nello
spazio di venti minuti, li cancellavano dall'*Humano
genere*?

Nessuno ha trovato il coraggio per impedire agli
uomini di Dannecker di far rimbombare i loro stiva-
li su per le scale di via Flaminia 21 e irrompere nelle
loro stanze. Nessuno ha fermato i camion che si al-
lontanavano con uomini e donne, bambini svegliati
orrendamente dal sonno. Pio XII non è comparso
bianco e ieratico alla stazione di Trastevere per mettersi davanti al convoglio fermo sul binario e impedirne la partenza, cosí come era apparso tra la folla il
giorno del bombardamento di San Lorenzo. I vagoni
sono stati piombati e quel treno è partito senza incidenti, il fischio della locomotiva lungo via Salaria.

Pio XII è rimasto chiuso dietro le finestre della sua
stanza dove si alzavano in brevi voli i canarini Hänsel e Gretschen. Neanche mio padre e mia madre,
che di sicuro avranno provato pietà per il destino dei
Levi, hanno dimenticato per un giorno i fogli di francobolli e la carne e il pane, le uova. E la sera del 16
ottobre, l'allieva di seconda media che corrisponde
all'autrice di queste righe, chiamata per recitare il rosario, aveva sbuffato di noia come tutte le altre sere
lasciando che le palpebre le calassero giú nel cantile-
nare delle ave marie e dei paternoster; senza che le
passasse per la mente di supplicare il suo Dio, che era
poi anche quello dei Levi e dei Della Seta, perché
mandasse in loro soccorso l'Angelo Sterminatore.

Senza avvertire alcun impulso di gridare, di fare qualcosa per quel ragazzo dallo sguardo allegro che suonava alla porta, il pallone di cuoio stretto sotto il braccio. Di preoccuparsi del destino di quella signora dai capelli grigi che entrava nella stanza semibuia tappezzata di verde simile a una foresta dove mi perdevo, calda di febbre, nel grande letto matrimoniale. Si sedeva la signora Della Seta mentre la mamma restava in piedi dietro di lei appoggiandosi con le braccia allo schienale della seggiola, e sorridevano tutte e due contente nel vedermi sgusciare fuori dalle lenzuola per scartare impaziente il regalo.

I pensieri di quella bambina non piú bambina (sono ormai un metro e sessanta e porto il 38 di scarpe) non sono in quella sera di ottobre molto diversi dal solito, in massima parte occupati dai bigliettini che attraverso un sistema di carrucole e di spaghi si scambia attraverso il balcone con le bambine Calcagno al piano di sotto.

Non so cosa ne sia stato di Emanuele Muggia dopo l'8 settembre. Noi non l'abbiamo piú visto. Quando siamo partiti da Brusson alla fine di agosto, lui non c'era già piú. Per fortuna il suo nome non figura fra quelli delle vittime elencate nel *Libro della memoria* di Liliana Picciotto Fargion dove l'autrice ha pazientemente cercato di ricostruire il destino, almeno nei suoi tratti essenziali, di quegli italiani uccisi perché appartenenti alla «razza ebraica». Presumo si sia salvato, o cosí almeno spero, perché per forza di cose l'elenco è incompleto. Ma la storia del «ragazzo dei Levi» la conosco bene perché in seguito a una di quelle circostanze impreviste che di colpo aprono un buco sulla storia, ho potuto vederla attraverso gli occhi di una ragazza che era con lui la mattina che vennero a prenderlo. Una specie di cugina-sorella perché i loro genitori erano rispettivamente due sorelle e due fratelli.

Alberta, cosí si chiama, aveva allora 24 anni. Era appena arrivata a Roma da Ferrara insieme alla famiglia. Qualche giorno prima un soldato tedesco, accompagnato da un questurino fascista, li aveva svegliati in mezzo alla notte girando tutta la casa con il fucile spianato alla ricerca del nonno a cui risultava intestato il telefono. È lei a raccontare quella mattina: *Lo zio Mario, in una lettera spedita dopo l'8 settembre, aveva molto insistito perché andassimo a Roma. Aveva avuto un incontro con Dante Almansi, allora Presidente dell'Unione della Comunità Israelitica Italiana, che aveva suggerito di far venire a Roma i parenti dell'Alta Italia, sempre nell'illusione che Roma era città aperta e che a Roma gli alleati sarebbero arrivati in breve tempo.*

Eravamo arrivati il 12 ottobre con pochi effetti personali per non dare nell'occhio alla stazione di Ferrara. Non avevamo una valigia; stipata nelle borse a mano un poco di biancheria e sul braccio ognuna di noi aveva un cappotto invernale con qualche vestito e qualche golf infilato dentro le maniche e appuntato con gli spilli per non perderlo... L'appartamento degli zii non era grande, cosí in quel primo momento si decise che mio padre sarebbe andato a dormire in una pensione tenuta dalla signora Mortara a piazza Fiume. Nella camera di mio cugino Giorgio facemmo un letto matrimoniale per la mamma, mia sorella Piera e me; Giorgio si adattò nella

*camera di servizio. Immediatamente dopo il nostro arrivo cominciammo a cercare qualche lavoro per Piera e per me. Subito trovammo da dare lezioni, ma quello che desideravamo era trovare un'occupazione a tempo pieno, senza guadagno in moneta, per risolvere il problema di mangiare tutti senza le tessere annonarie e perché pensavamo che suddivisi era piú facile mimetizzarci. Il 15 sera a cena portammo il risultato delle nostre ricerche...
Io avevo trovato una signora, amica di un'amica, che era costretta a letto da una flebite e sarebbe stata felice di avere in me un'assistente a pieno servizio domestico...
Zia Alba che di solito era abbastanza pessimista, era tutta animata e ben disposta alla speranza. Era stata nel pomeriggio da una sua amica a farle gli auguri per l'onomastico e a offrire nascondiglio diurno in casa sua al figlio che era ufficiale e l'8 settembre aveva lasciato la divisa. La preoccupazione di nascondersi era riservata al giorno, tanto la notte c'era il coprifuoco e nessuno girava. Io ascoltavo allibita; quando poi raccontai il frutto delle mie ricerche, lo fui ancora di piú: zia Alba fu irremovibile: «Finché c'è questa casa, tu non andrai a fare la cameriera da nessuno; prendi solo in considerazione le lezioni». Annoto queste cose per dare un quadro delle illusioni che molti si facevano ancora il 15 ottobre 1943. La paura ebraica era solo per gli uomini, cosí lo zio Mario al mattino, subito dopo il coprifuoco, usciva di casa e girovagava per la città il piú a lungo possibile, tanto sarebbe stata questione di poco, perché gli alleati sarebbero arrivati presto. Ricordo quella cena, l'ultima cena: zia Alba, sempre salutista, fare il conto delle calorie che avevamo ingerite e decidere che dovevamo ancora mangiare una noce per completare il valore nutritivo necessario. Ricordo Giorgio al pianoforte suonare un valzer di Chopin, mentre noi ragazze riordinavamo*

*la sala da pranzo. Le sue belle mani sulla tastiera e il suo
sorriso aperto sono gli ultimi ricordi che ho del mio cu-
gino-fratello. Andammo a coricarci ignari della tragedia
che incombeva. Alle sei del mattino le SS suonarono alla porta: lo compresi dalla scampanellata fuori orario
che mi svegliò di soprassalto e, senza un attimo di esita-
zione, scesi dal letto sussurrando alla mamma e a Piera
«Non posso sentire ancora quel passo» e uscii sul balcone. Quel passo di aguzzino che aveva profanato la nostra casa di Ferrara decise in quel momento della mia vita. In camicia da notte mi appiattii contro il muro, con
l'orecchio alla fessura della porta-finestra per udire
quanto avveniva dentro. Ma che avveniva? Una voce
dura diceva «Kommt! Kommt!»; e poi subito la finestra alle mie spalle venne chiusa dal di dentro: la mamma voleva salvare almeno me. Le voci arrivavano più at-
tutite; udii una esclamazione di mia madre «Il mio Carlo, non lo rivedrò più!» E poi ancora la voce concitata
di zia Alba «Ma no che non prendo la pelliccia, non andiamo mica a teatro!» Non potevo non capire, ma il mio
cervello e le mie membra si erano immobilizzate. Mi pare ancora di vedere in un palazzo di fronte, una finestra
che si apre e una donna ignara che sbatte uno straccio
dalla finestra; e giù dal tabaccaio formarsi una fila di
persone che aspetta l'apertura del negozio per ritirare le
sigarette con la tessera. Queste cose i miei occhi vede-
vano, mentre cuore e orecchie cercavano di percepire
ogni rumore che era dentro casa. Il balcone su cui mi
trovavo era stretto e lungo e aveva due accessi: l'uno
quello da cui ero uscita, un altro dalla cucina, che, es-
sendo notte, era chiuso. A un certo punto sentii che si
spalancava, ma nessuno uscì. La voce del tedesco si fece più distinta, incalzava «Kommt, kommt!»; poi il rumore della porta di casa che si chiudeva e, taglienti nel*

*silenzio, molte mandate di catenaccio. Poi piú niente.
Attesi ancora, quanto non so, forse solo qualche istante; il tempo per me non aveva valore; poi, per la porta-
finestra della cucina (seppi in seguito che me l'aveva
aperta mio cugino Giorgio intuendo il mio nascondiglio) rientrai nella casa vuota in un disordine indescri-
vibile. Era passato solo un quarto d'ora, il piú lungo della mia vita e di cui piú passa il tempo piú me ne vergo-
gno. Corsi alla porta: era sprangata e apribile solo con le
chiavi. Volevo uscire subito, pensando che i tedeschi sarebbero tornati per depredare l'appartamento. Tornai
nella camera dove avevo dormito e cominciai ad annodare le lenzuola per calarmi dal terrazzino dove ero stata nascosta, alla grande terrazza del piano sottostante.
Ero ancora in camicia, dovevo vestirmi. Fra i miei indumenti, appoggiati la sera prima su di una seggiola, trovai le chiavi di casa. Zia Alba in quel drammatico quarto d'ora, aveva avuto il tempo di pensare anche a questo... Le lenzuola annodate non servivano piú, potevo
uscire per la porta e fare presto, presto per cercare mio
padre. Quando mi chiusi la porta alle spalle, sul pianerottolo si aprí la porta dell'appartamento di fronte. I ba-
roni Sava, svegliati dal rumore insolito, avevano osser-
vato impotenti la deportazione dal buco della serratura
e quando videro me, sola, spalancarono la porta per por-
germi aiuto. Chiesi solo di telefonare a mio padre e gli
dissi di uscire immediatamente che lo avrei raggiunto.
Non comprese, come poteva? Pensò che anche noi fossimo stati avvertiti di uscire. Uscí, ma non mi attese. Il
mio ospite volle falsificarmi la carta d'identità, per ogni
evenienza: da Levi divenni Levigati, e mi insegnò come
raggiungere piazza Fiume in tram. Sotto la porta della
pensione mio padre non c'era. Salii e dalla signora Mortara seppi che era andato a via De Pretis, da un suo vec-*

*chio compagno d'arme della guerra '15-18 che gli ave-
va offerto di lavorare con lui. Erano le sette e un quarto. Raccontai alla signora Mortara in due parole la tragedia e la pregai di uscire subito di casa anche lei, come
del resto avevo già suggerito nella telefonata. «Ho più
di ottant'anni, che se ne fanno di me?» Ma mi ascoltò
e fece appena in tempo perché alle nove bussarono anche alla sua porta. Ripresi la strada, questa volta a piedi, per recarmi a via De Pretis, senza sapere il numero
civico, senza potermi ricordare il nome dell'amico di
papà. Ricordavo solo che aveva una figlia unica di 14
anni che si chiamava Nanú. Le gambe mi portavano
avanti, ma quando all'angolo di via 4 Fontane chiesi indicazioni per la strada da seguire, mi accorsi che la voce
non usciva. Ricordo lo sguardo attonito della donna a
cui afona mi rivolsi. Passai davanti al Viminale dove camion vuoti, con solo alcune SS a bordo, si stavano muo-
vendo; pensai che forse andavano a fare altre retate. Arrivata finalmente a via De Pretis, stavo entrando nel primo portone per chiedere al portiere se abitava lí una
ragazzina di 14 anni chiamata Nanú, quando mi trovai
davanti mio padre. Ebbi ancora la forza di rispondere al
suo sorriso interrogativo. Stava attendendo il suo amico. Gli dissi che dovevamo salire. «Alle otto del mattino? ma non si può disturbare a quest'ora!» Si accorse
che ero impietrita e mi seguí. Quando finalmente la porta dell'ascensore si chiuse, mentre salivamo all'ultimo
piano, la tremenda verità venne fuori, e dicendola si faceva realtà nella mia mente: «Siamo soli, tu ed io».*

I Levi che i tedeschi prelevarono a via Flaminia 21
furono portati nel collegio militare a via della Lungara dove i grandi stanzoni vuoti si andavano riem-
piendo degli arrestati della mattina. La madre e Pie-

ra non risultavano però in alcun elenco di ebrei romani, e quando una voce annunciò: «Tutti i cattolici di matrimonio misto passino in un'altra stanza»,
nonostante la stessa voce aggiungesse subito dopo che
chiunque, senza diritto, avesse tentato di farsi passare per cattolico, immediatamente dieci ebrei sarebbero stati uccisi sul posto, furono convinte dalla
zia Alba a farsi avanti. Nell'attesa dell'interrogato-
rio madre e figlia concordarono le risposte. Piera
andò nei gabinetti nella speranza di gettarci le carte
d'identità, ma i gabinetti erano otturati, e cosí dopo
averli ridotti in minutissimi pezzi, mangiò nomi e fotografie. A Dannecker che le interrogò nel pomeriggio tramite un prigioniero bilingue, raccontarono di
essere bolognesi e di avere perso tutto, documenti inclusi, nel terribile bombardamento del 25 settembre
che aveva quasi distrutto Bologna. Erano cattoliche
dichiararono, e la madre ariana, lei, Piera, figlia di
matrimonio misto; si trovavano a Roma soltanto perché non avendo piú nulla, neanche un tetto, avevano chiesto ospitalità ai parenti del rispettivo marito
e padre.

Furono credute. In fretta abbandonarono la valigia con le poche cose radunate nel panico della mattina, e stremate dall'angoscia si ritrovarono in mezzo alla strada poco prima del coprifuoco. Fecero in
tempo a raggiungere la casa dell'ex compagno di guerra del padre dove si ritrovarono con Alberta e dove
rimasero per qualche giorno, fino a quando non riuscirono a ottenere delle false carte d'identità.

A lungo ho cercato di conoscere la sorte della signora Della Seta. Nessuno era tornato e l'appartamento di via Flaminia era stato venduto, i Della Seta deportati a Auschwitz erano stati molti e io non conoscevo il suo nome. Alla fine, quando non ci speravo piú, l'ho ritrovata. In quell'ottobre del '43 Eva Della Seta si era rifugiata insieme al fratello in una villa che avevano a Chianni, in provincia di Pisa, e là erano stati raggiunti da altri familiari. Otto persone in tutto, tra cui un ragazzo di sedici anni. Qualcuno in paese li ha traditi, o forse venduti per intascare quelle poche migliaia di lire che valeva la loro vita. Non ci sono superstiti a raccontare. Il 20 aprile del 1944, presumibilmente all'alba, sono stati prelevati e portati in carcere a Firenze. Da Firenze, in data imprecisata, sono stati trasferiti nel campo di concentramento di Fòssoli, in provincia di Modena, dove la signora Della Seta ha compiuto 59 anni il 10 maggio. Il 15 il comandante del campo, Karl Titho, ha ordinato ai detenuti di tenersi pronti a lasciare Fòssoli la mattina seguente: «Finalmente – ha detto – è arrivato l'ordine della partenza, lavorerete in Germania per il grande sforzo tedesco, per la vittoria finale...»

Il treno composto da numerosi vagoni merci su cui era stata stesa della paglia, è partito da Firenze il 16 maggio. A raccontare il viaggio è Keller, una delle guardie della Ordnungspolizei che accompagnava il convoglio. Questa è una parte della deposizione resa al processo di Friedrich Bosshammer, lo Sturmbannführer responsabile delle deportazioni dall'Italia... *a Monaco est il convoglio fece, per la prima volta, una fermata abbastanza lunga. Eravamo stati in viaggio circa 12-16 ore ininterrotte... gli occupanti dei vagoni vennero fatti scendere a turno, vagone per vagone, per fare i loro bisogni. Erano costretti a farli sui binari che, alla fine, erano tutti insozzati... A Monaco est furono distribuiti anche, per la prima volta, i viveri... Dopo Monaco, tale distribuzione ebbe luogo ancora un paio di volte... Inoltre, più tardi, alle Frontleitstellen, procurammo della minestra calda distribuendola poi nei vagoni. I loro bisogni, però, potevano farli solo durante le fermate e questo accadeva sovente, almeno una volta al giorno. Da Monaco proseguimmo il viaggio soltanto la mattina seguente, passando per Landshut, Marienbad-Aussig e Breslavia. Le soste più lunghe durante le quali potemmo far uscire gli ebrei furono presso Breslavia e Auschwitz. Fino allo scarico a Auschwitz il viaggio era durato almeno 4 giorni [in realtà ne durò 5]... Quando arrivammo nei pressi di Auschwitz, il tratto era pieno di altri convogli. Rimanemmo tutta la notte davanti alla rampa di scarico del lager prima di potervi accedere. Il treno rimase sulla rampa tutto un giorno e una notte prima di venire scaricato. Noi, vale a dire il Begleitkommando, avemmo tutto il tempo di vedere scaricare gli altri treni e di osservare tutti gli ulteriori procedimenti dopo lo scarico. Erano treni di ebrei che venivano dall'Ungheria e dall'Olanda. Le aperture dei carri merci erano sbarrate da fil di ferro. Gli occupanti dovevano avere una sete spaventosa, perché vidi come protendevano le mani attraverso i fili per cogliere le gocce di pioggia – c'era un tempo orribile – che spiovevano dai tetti.*

Il nostro Transportführer richiamò la nostra attenzione sui procedimenti usati dopo lo scarico dagli altri treni: egli era letteralmente inorridito e diceva che era una grossa porcheria. Dopo che mi ebbe avvertito, vidi poi come gli occupanti di un convoglio proveniente dall'Un-

gheria venivano tirati giú dai vagoni da internati del lager armati di randelli, e come questi ultimi, in parte, buttavano letteralmente fuori vecchi e bambini. Vidi poi che li facevano andare in gruppi in un posto lí vicino, dove parecchi ufficiali SS con lunghi mantelli dividevano con un bastone gli ebrei in due gruppi e, come risultava chiaramente, accantonavano da un lato gli uomini e le donne dall'aspetto giovane e robusto e, dall'altro lato, quelli piú anziani e i bambini. Era evidente che, nel primo gruppo, si trattava di persone dalla piena capacità lavorativa, mentre nell'altro c'era gente che non era pienamente efficiente. Mentre il gruppo delle persone atte al lavoro veniva trasferito nelle baracche, gli altri venivano avviati a gruppi verso una sala enorme che aveva delle grandi porte di ferro che si aprivano e si chiudevano automaticamente. Internati del lager sospingevano a forza gli ebrei in quella sala e li colpivano a randellate. Gli ebrei levavano alte grida e lamenti. A quella vista mi diressi verso quella grande porta che era spalancata e cosí ebbi modo di osservare che nella sala venivano compressi sempre piú ebrei, e che gli ebrei che erano già dentro si stavano spogliando o erano già nudi... Seppi poi da internati del lager i quali stavano al Corpo di Guardia che la grande sala era una camera a gas nella quale gli ebrei, dopo che era stato provveduto al taglio dei capelli femminili, venivano uccisi mediante il gas... in quell'epoca arrivavano un numero cosí esorbitante di convogli che quasi non ce la facevano a gasare e bruciare i cadaveri nei forni crematori posti dietro le camere a gas, bisognava in parte distruggere i cadaveri con i lanciafiamme... Le persone malaticce del convoglio erano rimaste, in parte, a giacere tutta la notte sulla rampa e sui binari. Nessuno se ne curava, e quando, il mattino dopo, andarono per portarli via, erano già quasi tutti

morti. Lo scarico del nostro convoglio avvenne esatta-
mente nello stesso modo.

Eva Della Seta Di Capua è presumibilmente entrata nella camera a gas appena scesa dal treno il 23
maggio 1944.

Giorgio Levi, che avrebbe compiuto diciassette anni a novembre, rimase rinchiuso nel collegio militare a via della Lungara fino al giorno 18, quando venne fatto salire insieme ad altri cinquanta prigionieri
in uno dei vagoni merci in attesa su un binario morto della stazione Roma-Tiburtina. A Auschwitz-
Birkenau arrivò la notte del 22 ottobre dove il treno
rimase fermo e sigillato fino all'alba del giorno dopo.
Selezionato per il lavoro insieme ad altri 149 deportati, gli fu tatuata sul braccio la matricola 15874. È
morto in un luogo ignoto, le sue tracce si perdono il
29 dicembre 1943.

Mario Levi aveva cinquantacinque anni e arrivò a
Auschwitz-Birkenau la notte del 22 ottobre del 1943,
sullo stesso vagone della moglie e del figlio. Ma la sua
immatricolazione è dubbia. Anche lui è morto in un
giorno e in un luogo sconosciuti.

Alba Levi Ravenna aveva cinquantadue anni e dopo essere stata rinchiusa nel collegio militare a via
della Lungara, fu deportata il 18 ottobre con lo stesso convoglio del marito e del figlio. Entrò nella camera a gas appena arrivata a Auschwitz-Birkenau, il
23 ottobre 1943.

Dopo la fine della guerra, nel 1954, Pio XII fu il protagonista di un film dal titolo *Pastor Angelicus* prodotto dal Centro cinematografico cattolico di Gedda. Film dove vengono raccontati con toni enfatici e immagini sublimate alcuni momenti della vita di Pio XII che, come dicono i titoli di testa, è quel «Pastor Angelicus» annunciato da una antica profezia. Il film è un susseguirsi di immagini e musiche dove la guerra appare simile a un misterioso cataclisma, una tempesta di fuoco, senza protagonisti né colpevoli, a pura esaltazione dell'operato del Papa.

Roma 25 marzo 1997.

Nota

Questa memoria autobiografica non è un saggio ma neppure un racconto di fantasia e chiama specificamente in causa fatti e avvenimenti realmente accaduti. Mi sono trovata quindi nella necessità di sottoporre a continue verifiche la mia narrazione, e per obbligo e scrupolo filologico ma soprattutto per rendere un servizio al lettore, mi limito a dare notizia dei principali testi da cui sono state tratte le notizie riguardanti gli avvenimenti raccontati, e a segnalarne i documenti più importanti.

Le notizie sulle leggi razziali in Italia sono state prese da: *La legislazione antiebraica in Italia e in Europa*, in Atti del Convegno nel cinquantenario delle leggi razziali (Roma, 17-18 ottobre 1988), ed. Camera dei Deputati, Roma 1989. E da: Michele Sarfatti, *Mussolini contro gli ebrei*, in *Cronaca dell'elaborazione delle leggi del 1938*, Silvio Zamorani editore, Torino 1994.

Le notizie sulla seconda guerra mondiale sono state tratte dai volumi di Winston Churchill, *La seconda guerra mondiale*, Mondadori, Milano 1961.

Le notizie sugli ebrei dal 1933 al 1945 sono state tratte da: Renzo De Felice, *Storia degli ebrei italiani sotto il fascismo*, Einaudi, Torino 1988; Raul Hilberg, *La distruzione degli Ebrei d'Europa*, Einaudi, Torino 1995; Liliana Picciotto Fargion, *Il libro della memoria*, Mursia, Milano 1991; *Le menzogne della Razza. Documenti e immagini del razzismo e antisemitismo fascista*, a cura del Centro Furio Jesi, Grafis edizioni, Bologna 1994; Georges Bensoussan, *Histoire de la Shoah*, Presse Universitaire de France, Paris 1996; Gianni Campus, *Il treno di Piazza Giudia*, in *La deportazione degli ebrei di Roma*, edizioni L'Arciere, Cuneo 1995; Pietro Nastasi, *Giornate di Storia della Matematica*, in Atti del Convegno, Hotel San Michele, Cetraro, 8-12 settembre 1988, dattiloscritto, Dipartimento di Matematica, via Archirafi, 34, Palermo; Id., *La Comunità matematica italiana di fronte alle leggi razziali*, dattiloscritto, Dipartimento di Matematica, via Archirafi, 34, Palermo.

La vicenda dell'enciclica *Humani Generis Unitas* è tratta da: Georges Passelecq e Bernard Suchecky, *L'encyclique cachée de Pie XI*, préface de Emile Poulat, Edition La Découverte, Paris 1995.

La vicenda della protesta dei vescovi olandesi dell'11 luglio 1942 è tratta da Raul Hilberg, *La distruzione degli Ebrei d'Europa* cit. e da Henri Fabre, *L'église catholique face au fascisme et au nazisme*, Henri Fabre et Edition EPO, Bruxelles 1995. Per le proteste del clero degli altri Paesi si rimanda alle specifiche citazioni di seguito riportate.

Vengono qui indicate le fonti bibliografiche delle citazioni che nel testo compaiono senza un preciso riferimento:

p. 14, «riparazioni...contro le ingiustizie», in Giovanni Miccoli, *Santa Sede e Chiesa italiana di fronte alle leggi antiebraiche del 1938*, in *La legislazione* cit., p. 183.

pp. 23-24, «Che la Chiesa non dovrà pentirsi...», in Fabre, *L'église catholique face au fascisme et au nazisme* cit. e in Passelecq e Suchecky, *L'encyclique cachée de Pie XI* cit., pp. 97-98.

p. 32, «una segregazione o distinzione...», in De Felice, *Storia degli ebrei italiani sotto il fascismo* cit.,p. 324.

p. 37, «Sofferto? Non ha sofferto...», in Giorgio Israel, *Politica della razza e persecuzione antiebraica nella comunità scientifica italiana*, Atti del Convegno nel cinquantenario delle leggi razziali cit., p. 123.

pp. 38-39, «Nazionalismo esagerato», in Miccoli, *Santa Sede e Chiesa italiana di fronte alle leggi antiebraiche del 1938* cit., p. 208 e in Passelecq e Suchecky, *L'encyclique cachée de Pie XI* cit., p. 162.

p. 39, «come mai, disgraziatamente l'Italia...», in Miccoli, *Santa Sede e Chiesa italiana di fronte alle leggi antiebraiche del 1938* cit. p. 209 e in Passelecq e Suchecky, *L'encyclique cachée de Pie XI* cit., p. 163.

p. 41, «Sacrificio di Abele...». L'episodio e le citazioni dell'incontro con i pellegrini della Radio cattolica belga sono tratte da: Passelecq e Suchecky, *L'encyclique cachée de Pie XI* cit., pp. 180-81 e in Miccoli, *Santa Sede e Chiesa italiana di fronte alle leggi antiebraiche del 1938* cit., p. 212.

p. 42, «Nei riguardi della politica interna...», in *Balconi e cannoni. I discorsi di Mussolini*, Videocassetta L'Espresso-Istituto Luce, seconda parte.

p. 42, «Dichiaro che questo Papa...», in De Felice, *Storia degli ebrei italiani sotto il fascismo* cit., p. 303.

p. 53, «Quello che è successo...», in Passelecq e Suchecky, *L'éncyclique cachée de Pie XI* cit., p. 182.

p. 53, «Il Santo Padre ha al momento...», in Jacques Nobécourt, *Le Vicaire et l'Histoire*, Editions du Seuil, Paris 1964.

p. 61, «... una stampa che può...», in Pietro Scoppola, *La Chiesa e il Fascismo*, Laterza, Bari 1973, p.338.

p. 62, «croce nemica...», in Passelecq e Suchecky, *L'éncyclique cachée de Pie XI* cit. p. 191.

p. 62, «Mi siedo qui...», in Rolf Hochhut, *Il Vicario*, Feltrinelli, Milano 1964, p. 478.

p. 65, «La Chiesa è perseguitata a Barcellona ...», in Hugh Thomas, *Storia della guerra civile spagnola*, Einaudi, Torino 1964, p. 443.

p. 87, «quelli sotto i trentacinque anni...», in Andrea Riccardi, *Il potere del Papa da Pio XII a Paolo VI*, Laterza, Bari 1988.

p. 88, «In uno stato cristiano...», in Hochhut, *Il Vicario* cit., p. 477.

p. 93, «Il Nunzio mi ha domandato...», in Saul Friedländer, *Pio XII*, Editions du Seuil, Paris 1964, p. 80.

p. 93, «Certo, nelle tenebre...», in Friedländer, *Pio XII* cit. p. 81.

p. 102, lettera di Adam Sapieha. Testimonianza di don Pirro Scavizzi, in *Pio XII mi ha detto*, Roma maggio 1964. Ripubblicato da «Il Tempo», 1° giugno 1986.

p. 105, «La mia predica sarà breve...». Come le altre proteste del clero francese del luglio del 1942, sono tratte da Friedländer, *Pio XII* cit., pp. 114-15.

p.123, «Che farà la Santa Sede...», in Picciotto Fargion, *Il libro della memoria* cit., p.817.

p.123, «Appena avuta notizia...», in De Felice, *Storia degli ebrei italiani sotto il fascismo* cit. p. 478.

p. 138, «*Lo zio Mario...*», dal dattiloscritto di Alberta Temin Levi.

p. 144, «Finalmente è arrivato...», in Picciotto Fargion, *Il libro della memoria* cit., p.857.

pp. 144-46, «A Monaco ...», in Picciotto Fargion, *Il libro della memoria* cit. pp. 857-59.

Desidero qui esprimere la mia gratitudine al Centre de Documentation Juive contemporaine di Parigi per la grande disponibilità e il prezioso aiuto nella ricerca dei testi. Un grazie particolare anche al Centro Culturale ebraico di Roma, e a Benny Lai, Pietro Scoppola, Adria-

no Prosperi, Frediano Sessi, Corrado Vivanti, Pier Vittorio Ceccheri-
ni, Susanna Silberstein, Ivette e Giacomo Saban, Mirella Tagliacozzo
Calò, Alberta Temin Levi e Rosetta Ajò Sermoneta.

Indice dei nomi

Stampato per conto della Casa editrice Einaudi
presso ELCOGRAF S.p.A. - Stabilimento di Cles (Tn)

C.L. 17403

Edizione	Anno
8 9 10 11 12	2014 2015 2016